Dans cet état de pureté, Mahomet
enfourcha une créature fabuleuse,
la jument Buraq au visage de femme,
qui était capable de parcourir
d'un bond une distance aussi grande
que celle que l'œil peut voir.

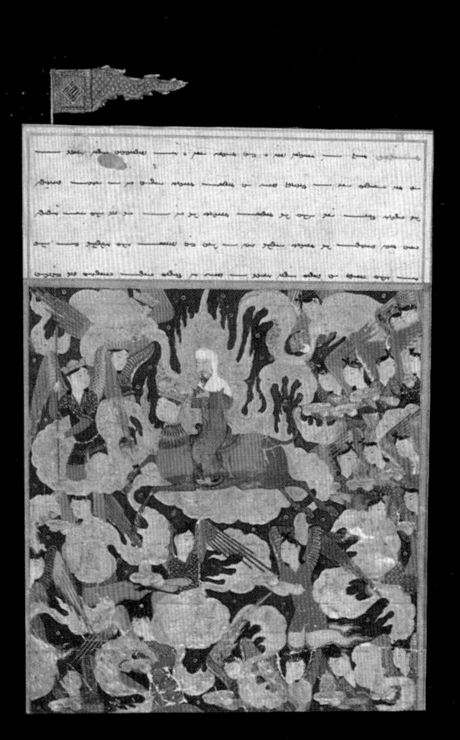

Ils rencontrent d'abord le coq blanc
dont la tête soutient le trône d'Allāh
et les pattes reposent sur terre.
Tant il est vrai qu'en terre d'Islām, il n'est pas de
religion qui ne s'enracine profondément dans
le sol des hommes.

Progressant sans hâte, car ils ont devant eux
l'éternité des élus de Dieu,
Mahomet et l'ange Gabriel rencontrent
David et Salomon.

Ils saluent Moïse, et plus tard, Jésus. Ils conduisent à la prière tous les patriarches, tous les prophètes, dans une mosquée céleste.

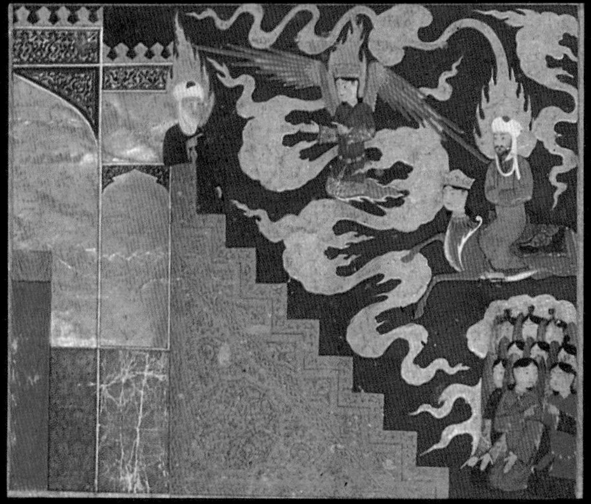

Ils voient Abraham sur son trône d'émeraude. Abraham qui posa la première pierre de la Kaaba. Abraham, père d'Ismaël, ancêtre des Arabes.

Leur chevauchée les mène enfin au septième ciel
où ils sont accueillis par des anges.

Là, ils doivent pénétrer dans un édifice qui représente un peu
le passage du monde humain dans le monde divin.

En Arabie, ils découvrent l'arbre à branches d'émeraudes et de perles, au pied duquel coulent le Nil et l'Euphrate.

Gabriel, l'archange aux six cents ailes, n'a-t-il pas accompli sa mission, celle de transmettre le message d'Allāh ?

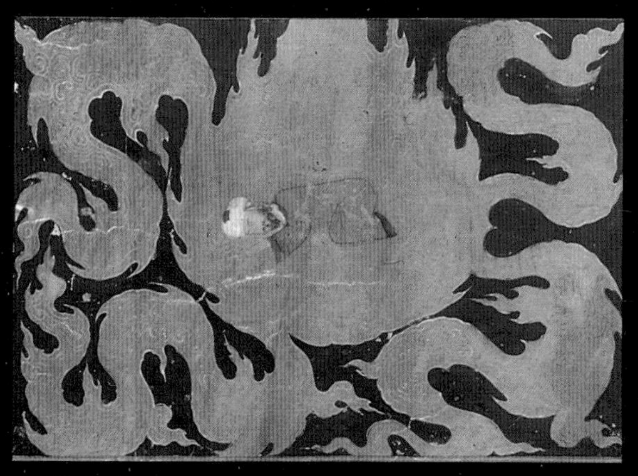

Allāh devant lequel l'homme de La Mecque,
l'obscur caravanier des déserts,
Mahomet, se prosterne enfin...

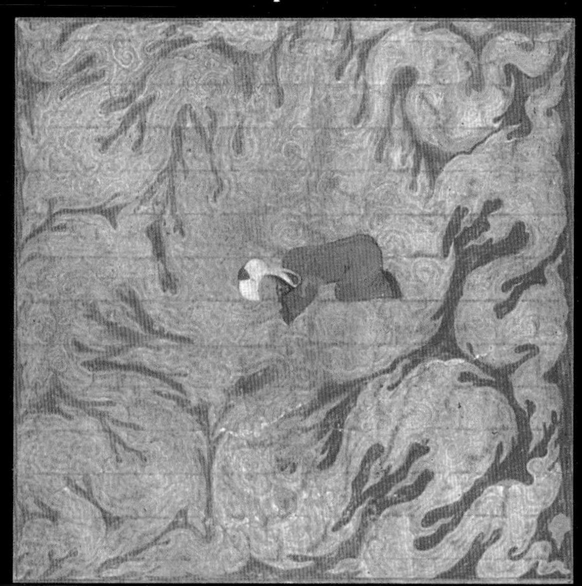

Et, entouré de nuages et de lumière,
Mahomet adore son Dieu. Sûr enfin que ce n'est pas en vain
qu'il a subi sur terre mille humiliations.

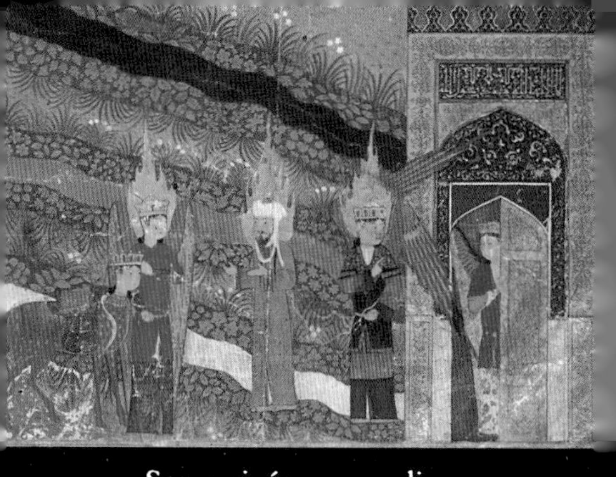

Son arrivée au paradis,
aluée par les houris montés sur des chameaux

Quant à ceux qui, ne voulant rien entendre,
se sont détournés de lui,
souffrent pour l'éternité les flammes de l'enf

Mais au-delà de la légende du prophète d'Allāh,
il y a la vie d'un homme ordinaire.

Un homme d'il y a treize siècles dont le destin
.changea le cours de l'histoire.

Née le 26 juin 1943, Anne-Marie Delcambre a fait des études de droit et d'arabe qui l'ont conduite à s'intéresser plus particulièrement à la civilisation islamique qu'elle a enseignée de 1973 à 1976 à l'université Saint-Joseph de Beyrouth au Liban. Docteur de 3e cycle en islamologie et docteur d'Etat en droit, elle collabore à *l'Encyclopédie de l'islam* pour les articles de droit musulman et met au point deux méthodes d'apprentissage de l'arabe (Linguaphone et Mentor). Professeur d'arabe, elle a, en outre, rédigé avec Paul Balta les articles sur l'islam dans *l'Etat des religions,* aux éditions La Découverte.

Tous droits de traduction et d'adaptation réservés pour tous pays
© *Gallimard 1987*

Dépôt légal : octobre 1987
Numéro d'édition : 41752
ISBN 2-07-053030-2
Imprimé en Italie

MAHOMET
LA PAROLE
D'ALLĀH

Anne-Marie Delcambre

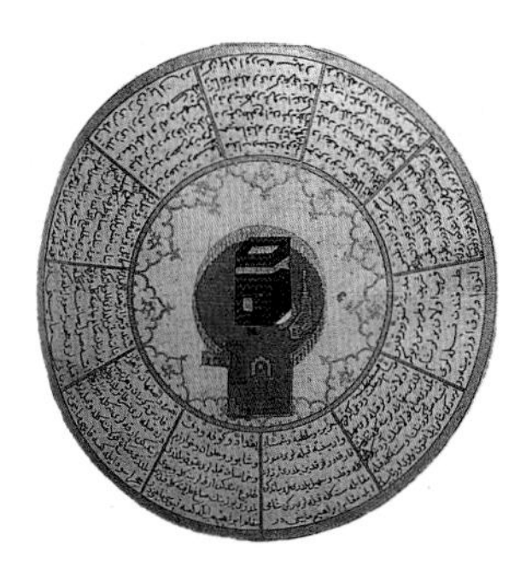

DÉCOUVERTES GALLIMARD
RELIGIONS

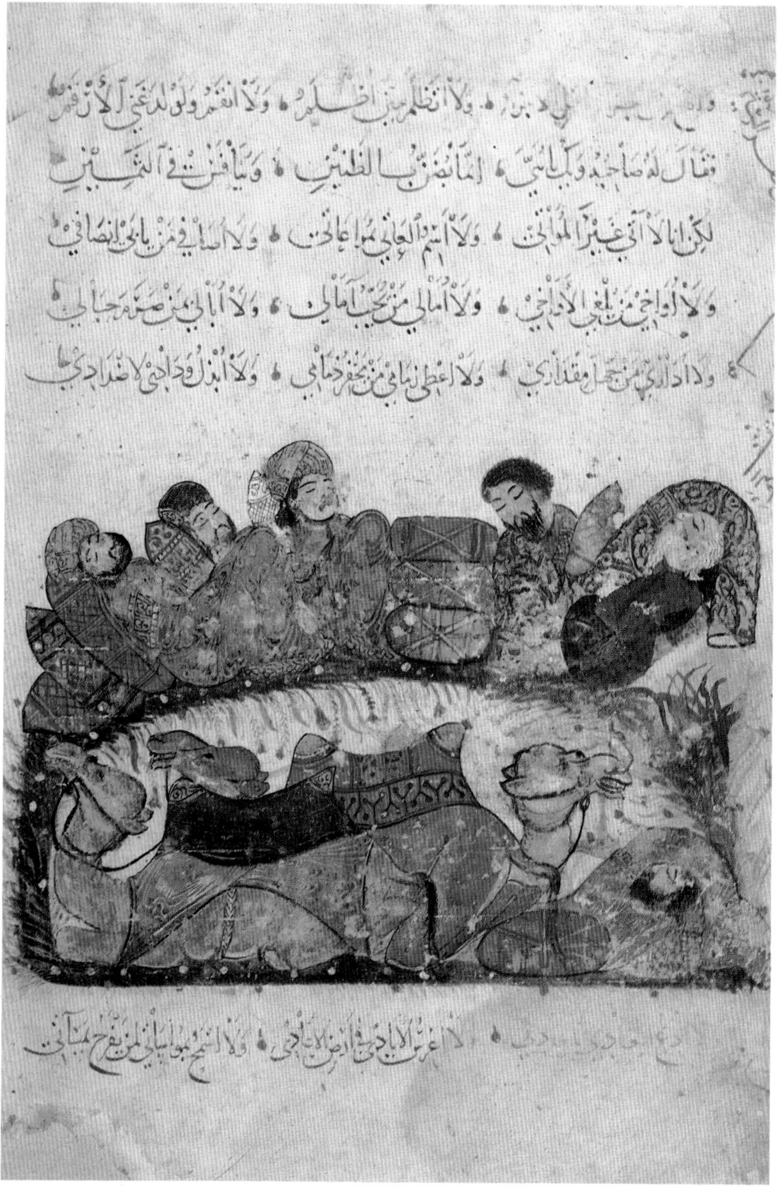

Lorsque, à la fin du VIe siècle, naît Mahomet, il y a déjà de longues années que son clan est installé à La Mecque, au cœur de l'Arabie. Mahomet – Muhammad en arabe – est fils de 'Abd Allāh, lui-même fils de 'Abd al-Muttalib, lui-même fils de Hāchim... Tant il est vrai qu'en Arabie, un homme, fût-il prophète, s'inscrit toujours dans la lignée de ses ancêtres.

CHAPITRE PREMIER

LES RACINES D'UN PROPHÈTE

Un dicton arabe atteste l'importance capitale du chameau dans l'Arabie du VIe siècle : « L'opprobre est dans le labourage, et l'état servile dans l'élevage des bovins, tandis que la noblesse est dans la possession du chameau et la vaillance dans celle du cheval. »

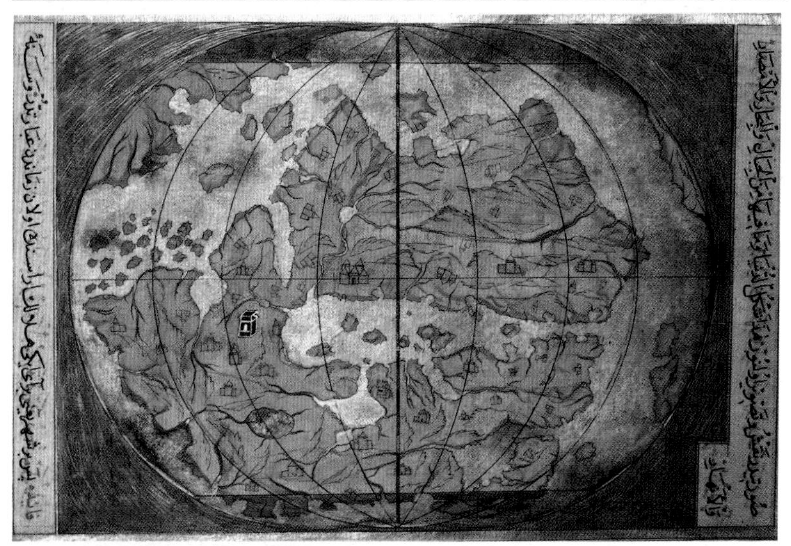

Sur cette carte persane du XVIe siècle, la Kaaba représente le centre du monde. La géographie arabe s'inspira de l'œuvre grecque et en particulier de celle de Ptolémée pour qui la terre est une sphère au centre de l'univers. Les Arabes s'en tinrent essentiellement à une étude approfondie des pays musulmans et des mers environnantes. Leur cartographie partageait ainsi le monde habité en deux zones : *dar al-islām,* le territoire de l'islām, et *dar al-harb,* le territoire de la guerre.

Un Arabe appartient nécessairement à un clan et à une tribu. Mahomet, lui, descend de la célèbre tribu des Quraychites, qui a conquis La Mecque au Ve siècle. 'Abd al-Muttalib, son grand-père, est un des plus illustres représentants de cette tribu, un des chefs de clan les plus puissants de la ville.

En arabe, *quraych* signifie « requin »

Du nom de ces poissons qui infestent les eaux de la mer Rouge et celles du Golfe, qui enserrent la péninsule arabique. Belle proie pour une tribu qui a pris ce totem que cette ville de La Mecque, célèbre pour sa source nommée Zem-Zem et pour son sanctuaire, la Kaaba ! A mi-chemin de l'Arabie du Sud et de la Palestine byzantine, La Mecque est à la fois un carrefour de pistes menant au Yémen, en Egypte, en Syrie et en Mésopotamie, mais aussi et surtout, depuis toujours, un lieu de passage sur la route qui relie l'Arabie du Sud à l'Arabie du Nord.

La tribu des Quraychites se subdivise en une dizaine de clans. Le clan de Hāchim est parmi les plus connus. 'Abd al-Muttalib ne se doute guère, alors, que ses descendants, les Hāchémites, entreront dans l'Histoire, pas plus que le chef de clan, Omayya, n'imagine qu'il sera à l'origine d'une des plus grandes dynasties, celle des Omayyades. 'Abd al-Muttalib sait seulement qu'être chef de clan est une position très enviable.

En 545, il a dépassé la cinquantaine. C'est un homme heureux, car il n'a pas moins de dix fils et six filles. Ne pas avoir d'enfant, c'est être *abtar*, c'est-à-dire « mutilé », « impuissant ». 'Abd al-Muttalib, lui, a tant voulu de fils qu'il a épousé plusieurs femmes. Si, par malheur, il n'avait eu que des filles, il aurait été considéré avec mépris par les gens de son clan. Outre que les filles sont une lourde charge – à tel point que, en cas de famine, certains les enterrent vivantes à la naissance –, elles constituent un danger constant pour la famille : la perte de leur virginité avant le mariage précipite toute la tribu dans le déshonneur.

Le clan, élément essentiel de l'ancestrale société arabe, a ses règles, ses hiérarchies et ses lois. Chaque clan est autonome et souverain. Les notables siègent au conseil, le *mala*. Il revient au clan de 'Abd al-Muttalib d'approvisionner en eau les pèlerins. Cette charge, la *siqāya*, particulièrement importante à La Mecque, est une fonction honorifique qui prouve la puissance de sa famille.

L'Arabie des déserts, cette terre immense, grande comme le tiers de l'Europe, est le pays des Saracènes, un peuple de Bédouins

Les Saracènes – Sarakênoi en grec, Sarraceni en latin, ce qui a donné en français « Sarrasins » – doivent survivre dans des conditions extrêmement dures. Dans ces vastes étendues désertiques, dont seuls les rocs rompent quelque peu la monotonie, l'homme se sent pris entre deux infinis : l'infini de sable sous ses pieds et l'infini du ciel au-dessus de sa tête. Telle est la patrie des nomades, qui conduisent leurs troupeaux de chèvres et de chameaux d'une oasis à l'autre. Ces oasis, où pousse le palmier dattier, représentent pour le Bédouin un havre de repos et de fraîcheur : Najrān, Yathrib, Fadak, Khaybar, Madayn, Tabūk, Qāsim sont les haltes traditionnelles des nomades, qui pourtant considèrent avec un peu de mépris les sédentaires qui y demeurent, agriculteurs ou commerçants. A cause de la terrible sécheresse, les nomades, eux, sont continuellement obligés de se déplacer pour mener le bétail à la recherche d'eau et d'improbables pâturages.

Dans le désert, pour survivre, il faut bouger : alors, très souvent, on démonte la tente de poil de chèvre. Le vêtement lui-même est conçu pour pouvoir se déplacer : ample, il ne gêne pas

P. MARILHAT.

le mouvement le jour et permet, le soir venu, de s'envelopper chaudement, car les jours sont aussi brûlants que les nuits sont glaciales. Cette vie rude le serait plus encore s'il n'y avait ce vaisseau du désert qu'est le chameau – ou plutôt le dromadaire, ce chameau à une bosse – capable de parcourir cent kilomètres en un seul jour et de porter des charges de deux cents kilos. Mais quand la recherche des pâturages s'avère trop difficile, alors, le Bédouin est bien obligé de pratiquer la razzia, enlevant parfois même des enfants et des femmes, qu'il vendra comme esclaves ou échangera contre une rançon.

Le désert est sillonné de caravanes de Bédouins marchands, venant aussi bien de Syrie, de Mésopotamie que du Yémen

Juin 540. Sous l'ardent soleil d'été, une caravane de chameaux, propriété de 'Abd al-Muttalib, se déplace lentement vers le sud. Elle revient de Syrie, où ses marchandises ont été vendues ou troquées. 'Abd al-Muttalib connaît bien les marchés de Damas et n'ignore pas que cette ville, où il fait de si fructueux profits, appartient à l'Empire byzantin. Pourtant, il n'a jamais vu l'empereur chrétien Justinien, dont on dit qu'il a fait rédiger un code de lois qui porte son nom.

L'Arabie n'était qu'une mer de sable inhospitalière dont les Arabes ne se libérèrent qu'avec la domestication du chameau. L'immense prospérité de l'Islām, à l'apogée de son destin, reposera sur les longs mais fructueux voyages de ses caravanes. Dans les bazars de Bagdad arriveront épices et teintures d'Inde, rubis et lapis-lazulis d'Asie centrale, fourrures, faucons et cuirasses de Scandinavie, ivoire, or et esclaves d'Afrique ; tandis que s'exporteront riz, blé et toile d'Égypte, verre et métaux de Syrie, papier d'Irak, cuir et perles d'Arabie, soieries de Perse.

Grand stratège, Justinien a pourtant dû se contenter de maintenir les Perses à distance, concluant avec Chosroês – Khosrô, « le Roi des rois » – une sorte de paix sans vainqueur ni vaincu. De ce dernier également ‘Abd al-Muttalib a beaucoup entendu parler, car il est célèbre dans toute l'Arabie pour ses trésors, son armée d'éléphants, et surtout pour la religion que pratique son pays : celle des mages, le mazdéisme, fondée par Zarathoustra, et dans laquelle le principe du Bien s'oppose à celui du Mal.

Si ‘Abd al-Muttalib voyage souvent en Syrie byzantine, il lui arrive de se rendre en Irak, qui fait partie de l'Empire perse. Il sait que l'Empire byzantin est le grand rival de ce dernier, mais il ne s'en préoccupe pas outre mesure : pas plus les Perses que les Byzantins n'essaient de contrôler directement le nord et le centre de l'Arabie. Or, lui, ‘Abd al-Muttalib, est originaire de cette zone déserte, incluant les immenses étendues de sable du Nufūd, du Rub-al-Khāli – le « quart vide », le « désert des déserts » – et la barrière montagneuse du Hedjaz. Certes, les deux grands empires, dont la puissance décline, ont conclu des alliances avec certaines tribus nomades ; mais, en fait, c'est l'Arabie du Sud qui les intéresse...

L'Arabie du Sud, c'est l'*Arabia Felix*, ainsi que la nomment les anciens, l'« Arabie Heureuse » que se disputent les deux grandes puissances, byzantine et perse. ‘Abd al-Muttalib la connaît bien, cette région florissante. Il a entendu parler

L'empereur Justinien Ier (ci-contre) régna sur Byzance durant trente-huit ans, de 528 à 565. Son règne connut un extraordinaire épanouissement artistique. À la même époque, l'Empire perse possédait des trésors immenses. Ils recelaient des pièces incrustées de pierres précieuses, rubis, émeraudes, coraux et turquoises, en argent ciselé tel ce chameau ayant appartenu à l'empereur Salāh al-Dīn.

Reine de Palmyre, Zénobie régna sur la Syrie au IIIe siècle. Elle commit l’erreur de se révolter contre le joug romain en 272. Zénobie fut amenée à Rome où elle mourut captive. Trebellius Pollion la décrit ainsi dans Trente Tyrans : « Elle haranguait la foule à la manière des empereurs romains, casque en tête, revêtue d’un manteau de pourpre aux franges ornées de perles et fermé par une fibule. De teint mat et brun, elle avait des yeux noirs d’une incroyable beauté, le regard vif et d’un éclat divin. Elle était généreuse mais avec prudence. Elle allait souvent à cheval et on rapporte qu’elle faisait communément trois ou quatre milles avec ses troupes à pied. »

du royaume de Saba, de son haut degré de culture et de son étonnante prospérité due au commerce de l’encens et des aromates. Cela remonte à des milliers d’années, mais les monuments, les fortifications, les réalisations hydrauliques sont encore là pour témoigner de son haut niveau de civilisation. La reine de Saba ne peut manquer de lui évoquer le souvenir de la reine Zénobie, dont le nom est lié à la ville de Palmyre, « la Ville des palmiers », située au milieu du désert de Syrie. Mais la gloire de Zénobie date d’à peine trois siècles, alors que la Bible elle-même parle de la visite légendaire de la reine de Saba au roi Salomon – fils et successeur de David sur le trône d’Israël –, à Jérusalem, avec des chameaux chargés d’or et d’aromates.

'Abd al-Muttalib n'a sans doute jamais ouvert la Bible, mais il sait qu'il y a des juifs et des chrétiens en Arabie

Les illustrations pour les *Maqāmāt* d'al-Harīrī (1054-1122), parues à Bagdad, exécutées en 1237 par l'artiste Yahya al-Wāsitī, donnent une image assez fidèle de la vie d'un homme musulman de condition aisée.

Dans beaucoup d'oasis de l'Arabie du centre, à Khaybar et surtout à Yathrib, vivent des tribus juives qui pratiquent essentiellement l'agriculture, comme les Banū Nadhīr et les Banū Qorayza. Mais les communautés les plus actives sont au Yémen, en Arabie du Sud. Les convertis au judaïsme sont, en effet, nombreux dans cette région depuis que Dhū Nuwas – l'homme à la mèche de cheveux pendante –, souverain du royaume himyarite, s'y est converti et a obligé les peuples voisins à faire de même. N'a-t-il pas donné l'ordre aux Arabes chrétiens de Najrān de changer de religion, et de remplacer le Christ par Yahvé, le dieu de Moïse ? 'Abd al-Muttalib connaît l'oasis de Najrān : elle n'est qu'à 400 kilomètres au sud de La Mecque, sa ville natale. Mais les Arabes de Najrān ont refusé de se convertir, et l'on raconte le soir, lors des veillées, *samar*, que Dhū Nuwas en a fait jeter vingt mille dans des fosses, les condamnant à être brûlés vifs.

Telle est la « chanson de geste » de Najrān, colportée d'oasis en oasis. Car, si le désert engendre des prophètes, il génère aussi des poètes. A la différence de ceux-là, ceux-ci célèbrent le monde d'ici-bas. Porte-parole de la société du désert organisée en clans et en tribus, les poètes en sont les « chroniqueurs », à l'instar de Adi ibn-Zayd, l'illustre poète chrétien, qui vit à la cour du roi de Hira. Des Arabes, alliés des Persans, et d'autres, alliés des Byzantins, ont même formé, au nord de l'Arabie, des royaumes chrétiens où les poètes sont protégés. Le plus célèbre de ces poètes de cour est sans conteste Imrū-l-Qays, roi de Kinda. Il est connu dans l'Arabie entière, et tous les Bédouins admirent ses poèmes, les *qasīdas*, où il pleure la femme aimée en suivant les

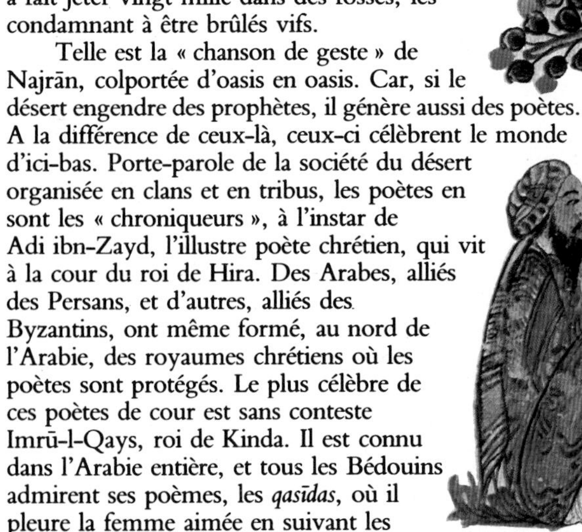

traces de son campement. La poésie enflamme le cœur des Bédouins, parce qu'elle fait appel à leur sensibilité et frappe leur imagination. Pour l'auditoire transporté, il y a là de la magie : seuls des démons, les *djinns*, peuvent souffler au poète d'aussi admirables formules. Peu importe que le poète soit une femme. Les Bédouins savent que la parole est une arme autrement plus redoutable que le sabre. Les vers des poètes, colportés à travers le désert, sont capables d'immortaliser un exploit glorieux, mais aussi de flétrir l'honneur de toute une lignée. Malheur donc à la tribu sans poète.

Le discours du héros d'al-Harīrī, Abū Zayd, est prétexte à une richesse de vocabulaire et d'éloquence inégalée. Ci-contre, l'une de ses cinquante « Séances », intitulée « Groupe conversant », représente al-Hārith, compagnon de Abū Zayd, se séparant de ses amis auprès d'un arbre divinatoire. La maqāma est un genre littéraire de la prose arabe. Le mot *maqāma* désigne la harangue du mendiant, conteur populaire très prisé dans la tradition ancestrale. Elle est autant appréciée par les Arabes que les contes des *Mille et Une Nuits*. Ces narrations surgissent du besoin de raconter une histoire ou de l'écouter raconter, un besoin si caractéristique de l'âme arabe. C'est ainsi qu'à partir de récits venus d'Inde, de Perse et d'Égypte, enrichis de faits et de personnages appartenant au passé arabo-islamique, s'est constitué tout un florilège que les diseurs récitent dans les lieux publics depuis des temps immémoriaux.

Les hommes du désert sont superstitieux : ils pensent qu'il ne faut jamais contrarier les djinns, les malins petits génies

Les djinns sont partout – au creux des sources, dans les pierres, dans les arbres – et il importe de se les rendre favorables, faute de quoi on court au-devant d'événements funestes : stérilité, démence, épidémies.
Des sacrifices ont donc pour mission de se concilier ces puissances surnaturelles. Mais les nomades vénèrent aussi d'autres divinités. C'est pourquoi 'Abd al-Muttalib habite près du sanctuaire de la *Kaaba*, un immense cube de pierre qui renferme la Pierre noire, vraisemblablement un météorite. D'après la tradition, une première Kaaba (maison de Dieu) aurait été édifiée par Adam après qu'il eut été chassé du Paradis ; emportée par le Déluge, la Kaaba aurait été reconstruite par Abraham et son fils Ismaël, qui auraient scellé, dans l'angle sud-est de l'édifice, la Pierre noire apportée par l'ange Gabriel.

Dans la Kaaba, on rend un culte à trois déesses principales : Al-Lāt, la « déesse » par excellence, Al-Ozzā, la « très puissante » et Manat, qui tient les ciseaux pour couper les fils des destins des hommes. Mais à La Mecque, le grand dieu reste Hobal, idole en cornaline rouge. Toutefois, la Kaaba contient bien d'autres divinités, plus de trois cent soixante, dit-on. Les Mecquois sont extrêmement tolérants en matière de culte et s'ils ont réuni toutes ces divinités, comme dans un musée, c'est pour permettre à chaque étranger de vénérer ses propres dieux et pour que toute l'Arabie considère La Mecque comme le grand lieu de pèlerinage, le *hādjdj*. On imagine alors l'affluence, durant les mois sacrés de *rajab, dhu-l-qāda et muharram*, quand les pèlerins tournent cérémonieusement autour des objets de culte !

Cette illustration persane, ci-contre, extraite des *Merveilles de la nature et singularités des choses créées*, évoque un arbre enchanté adoré par les Arabes avant la venue de Mahomet.

Les origines et la date de la construction de la Kaaba se perdent dans la nuit des temps. Le mot *kaaba* signifie « cube » et désigne assez fidèlement la forme de l'édifice. Les dimensions en sont à peu près de 15 m de haut, 10 de large sur le petit côté, et 12 sur la façade. Cette façade, où s'ouvre une porte à près de 2 m au-dessus du sol, est tournée vers le nord-est et se termine à l'est par un angle où est enchâssée la fameuse Pierre noire. Bâtie dans la pierre gris-bleu extraite des montagnes entourant La Mecque, la Kaaba est entièrement recouverte d'une tenture noire, la *kiswa*.

إن أول بيت وضع للناس للذي ببكة مباركا وهدى للعالمين
فيه آيات بينات مقام إبراهيم ومن دخله كان آمنا ولله على الناس
حج البيت من استطاع إليه سبيلا ومن كفر فإن الله غني عن العالمين

A la fin du VIe siècle, à La Mecque, coexistent une poignée de très riches commerçants et un nombre sans cesse croissant d'indigents

C'est par l'intermédiaire du commerce que le message de l'islām parviendra jusqu'aux confins du monde arabe. La circulation des hommes et des marchandises, de l'Orient à l'Occident, entre trois continents, sera à l'origine de la puissance économique et intellectuelle du monde musulman au Xe siècle. De caravaniers, les Arabes deviendront marins et géographes.

La vie est devenue très chère, la spéculation commerciale fait rage. Si 'Abd al-Muttalib est resté un fier chamelier, fidèle au code bédouin, certains membres des autres clans sont parvenus à constituer une aristocratie d'affaires. On les appelle les Quraychites de l'intérieur, et lui qui habite près de la Kaaba en est un, même si ses principes l'ont empêché de faire fortune. En revanche, les Quraychites de installés à la périphérie, et les autres habitants de La Mecque ne bénéficient pas d'un statut politique et commercial aussi avantageux ; ce sont des Bédouins endettés et réduits en esclavage, des esclaves affranchis mais toujours protégés par leurs maîtres, de modestes artisans, des orphelins sans ressources, quelques chrétiens d'origine étrangère (mercenaires, forgerons, esclaves d'Abyssinie, marchands de vin, porteurs d'eau, poseurs de ventouses, aventuriers).

Tous les jours, 'Abd al-Muttalib constate une pauvreté plus grande dans les rues de La Mecque. Le trafic commercial et religieux profite uniquement aux riches négociants, qu'il connaît bien. Ils ne respectent pas, comme lui, la loi du désert et amassent des fortunes considérables avec le pèlerinage et le profit des caravanes qui partent à destination de la Syrie et du Yémen. Cette fièvre commerciale a entraîné un tel changement dans la société que souvent 'Abd al-Muttalib se sent pris de vertige : les veuves et les orphelins ne sont plus protégés, ni les pauvres nourris ; on ne respecte plus la solidarité familiale et tribale, l'*'asabiyya ;* on leur préfère les deniers d'or et les drachmes d'argent. A la faveur de cette agitation sociale, quelques femmes parviennent même à gagner leur indépendance et à commercer pour leur propre compte.

Un tel bouleversement du code bédouin engendre un malaise profond. Nombreux sont ceux qui attendent et espèrent un changement. Les voies sont ouvertes à l'homme de génie qui saura, mieux qu'un autre, répondre aux attentes d'un peuple épuisé. Cet homme est sur le point de naître.

'Abd Allāh, fils de 'Abd al-Muttalib, est le plus bel homme de La Mecque. Un grand destin l'attend. Il sera le père du Prophète

En l'an 570, 'Abd al-Muttalib a plus de soixante-dix ans. Ses forces déclinent. Il pressent que son dernier fils, 'Abd Allāh, que lui a donné Fātima, fille de 'Amr, du clan quraychite des Makhzum, aura une destinée différente de celle de ses autres enfants. Il est déjà le plus bel homme de La Mecque, et surtout, il semble protégé par le destin, comme s'il avait la *baraka*, la fameuse « bénédiction » divine. 'Abd Allāh, qui a épousé la belle Āmina, fille de Wahb, assurera certainement une postérité nombreuse. Et la richesse en hommes compensera-t-elle la pauvreté qui s'est abattue sur la famille de 'Abd al-Muttalib. Car le chef du clan des Hāchim est presque ruiné.

En route avant l'aube, les caravanes progressaient à une allure régulière d'environ 5 km/h pendant près de douze heures par jour. En de rares occasions, le marchand, fatigué à la nuit tombée, trouvait sur sa route un caravansérail – une sorte d'auberge primitive – où il pouvait obtenir des chambres pour ses chameliers et un enclos pour ses bêtes. Sinon, il dormait à la belle étoile.

دیم اول الصوندوغك یر مشرقیدر مغربیدر شامیدر رومیدر
قینغی اقلیم در آنی سکا بلدورم دیدی امینه خاتون ایدر اوغلم
کوردم کیم اول لکنك ورتاسنه الصوندی بن حیران قلدوم
که بوشیمدی طوغان اوغلان نسوزنجه فهم ایلدی اولوکیشی

La tradition entoure de mystère et de merveilleux la naissance du Prophète d'Allāh : les juifs de l'oasis de Yathrib – la future Médine – en furent, dit-on, informés par l'apparition d'une étoile dans le ciel, et les mages de Perse, adorateurs de Zarathoustra, virent s'éteindre le feu sacré qui brûlait dans leur temple depuis mille ans...

CHAPITRE II

UN HOMME DE LA MECQUE

Dans l'Evangile selon saint Jean, Jésus annonce qu'il enverra un paraclet, *paracletos,* « avocat » en grec. Les musulmans ont lu *periclitos,* « le plus loué », qui se dit *mohamet* en arabe. Le Coran affirme ainsi que la naissance de Mahomet a été annoncée par les prophètes antérieurs.

On prétend aussi qu'une lumière si intense éclairait la nuit que la mère de Mahomet, Āmina, put voir les souks de Damas comme en plein jour. A la vérité, personne, pas même son grand-père, ne connaît la date exacte de la naissance de Mahomet. On sait seulement qu'il est né l'année de l'Eléphant, ainsi appelée parce que le vice-roi abyssin du Yémen marcha alors jusqu'à La Mecque, avec une grande armée qui comprenait un éléphant. Les savants inclinent à situer l'année de l'Eléphant en 570 ou 571.

Orphelin de père à sa naissance, Mahomet est recueilli par son grand-père paternel, puis confié à une nourrice du désert

'Abd Allāh n'aura pas eu la chance de voir naître son fils. Il mourra quelques semaines avant sa naissance, alors qu'il était en voyage d'affaires à Yathrib, à 350 kilomètres au nord-ouest de La Mecque. Il ne laisse à sa veuve que peu de choses : une esclave, cinq chameaux et quelques moutons. Āmina demande alors appui à son beau-père, 'Abd al-Muttalib, le chef du puissant clan des Hāchim.

Mahomet n'habitera pas longtemps avec sa mère dans la maison du grand-père, près du sanctuaire. Comme tous les nouveau-nés, on lui rase la tête : ses cheveux sont mis sur le plateau d'une balance, et leur poids en or est distribué aux pauvres. Certes, la chevelure d'un nouveau-né ne pèse pas lourd, mais ainsi le veut la tradition. Comme la coutume enjoint d'envoyer les enfants des notables de La Mecque en nourrice dans les tribus nomades du désert. Pour des raisons de santé, bien sûr : l'air y est plus pur et l'enfant devient vigoureux, mais aussi pour des motifs sociaux : l'enfant devient ainsi le frère de lait d'enfants d'une autre tribu. Or les frères de lait, c'est-à-dire ceux qui ont tété la même nourrice, sont, dans le code bédouin, les égaux des frères de sang. Les femmes des Bédouins pauvres, aujourd'hui encore,

La tradition entoure d'événements surprenants la naissance de Mahomet. Les anges, rapporte-t-elle, entourèrent la Kaaba et jetèrent des pierres aux djinns qui espionnent tout ce qui advient dans l'univers. On n'eut pas besoin de couper le cordon ombilical du nouveau-né, la Providence y ayant déjà pourvu. Des anges le lavèrent et les femmes le trouvèrent propre comme le cristal. La tradition veut également qu'à la grande surprise de 'Abd al-Muttalib, on découvrit que le pied de son petit-fils laissait la même empreinte que celle du pied d'Abraham sur la Pierre noire de la Kaaba.

viennent à La Mecque rechercher pour les nourrir les enfants des plus riches personnages. Elles améliorent ainsi leur existence et, surtout, elles nouent des liens avec ces fils de lait qui, adultes, deviendront de grands personnages. La nourrice de Mahomet est une certaine Halīma, du clan des Saad. Elle emmène le nourrisson dans les régions montagneuses proches de Tā'if, où, plus âgé, il gardera les troupeaux en compagnie de son frère de lait.

Le sort, décidément, s'acharne sur le petit Mahomet : les êtres auxquels il est tendrement attaché disparaissent

Mahomet a six ans quand il rentre du désert. Avec sa mère, il va alors à Yathrib. C'est une petite caravane qui chemine vers cette oasis : cinq chameaux, une esclave, Umm Ayman, l'enfant et sa mère. A Yathrib, pour un enfant de six ans qui arrive de La Mecque, il y a une foule de choses à découvrir. Tout d'abord les gens y ont bien plus à manger qu'à La Mecque ; et puis il y a des arbres, des plantes, et même une sorte de lac où l'on peut se baigner. Mais la joie du jeune Mahomet est de courte durée :

En même temps que Halīma, dix femmes du même clan des Bānū Saad étaient venues à la Mecque chercher des enfants à prendre en nourrice. Toutes en trouvèrent, sauf Halīma qui avait peu de lait. Lorsqu'on lui présenta Mahomet, elle s'exclama : « Un orphelin ! Et sans argent ! » Mais, après avoir consulté son mari, elle se décida à le prendre. Elle présenta le sein à l'enfant : le lait en goutta abondamment comme de la plus fertile des nourrices.

peu de temps après leur arrivée dans l'oasis, sa mère meurt. Le voilà orphelin de ses deux parents. Umm Ayman le ramène alors à La Mecque, dans la maison de son grand-père.

'Abd al-Muttalib est maintenant un vénérable vieillard, de près de quatre-vingts ans. Très vite, une affection profonde unit le grand-père trop âgé et le petit-fils trop jeune. Mais, deux ans plus tard, ce tendre lien va à son tour être défait, par la mort de 'Abd al-Muttalib. A huit ans, Mahomet n'a plus de parent en ligne directe. C'est aux membres collatéraux du clan de s'occuper de lui. Il est alors recueilli par un oncle paternel, de la même mère que son père, et qui, depuis la mort de 'Abd al-Muttalib, a pris la tête du clan.

Le tuteur de Mahomet, 'Abd-Manaf, est plus connu sous le nom d'Abū Tālib : les Arabes aiment en effet tellement les fils que lorsqu'un homme a un garçon, il abandonne son propre nom pour porter celui de l'enfant précédé de *Abū* qui signifie « père de ». Cet oncle est un bon et brave commerçant. Mais il a une nombreuse famille et, sans être pauvre, il n'est pas non plus fortuné.

'Abd al-Muttalib se serait montré particulièrement soucieux de l'éducation de son petit-fils, n'hésitant pas à réprimander sévèrement ses professeurs quand l'enfant s'en plaignait, comme on le voit ci-dessous. Mais d'autres sources, parmi les écrits de la tradition musulmane, affirment qu'une révélation divine pourvut à l'apprentissage de la lecture et de l'écriture du Prophète.

A Bosra, en Syrie, un moine chrétien voit, le premier, en Mahomet un futur prophète

Abū Tālib emmène souvent son neveu lors des grands voyages qu'il entreprend avec ses caravanes à travers le désert. C'est ainsi qu'ils atteignent un jour la ville de Bosra. C'est un grand centre chrétien, avec une belle cathédrale ; un évêque y a même été nommé en 543, sur l'insistance de l'impératrice Théodora, la femme de l'empereur Justinien. La caravane s'arrête près d'un ermitage où vit un moine du nom de Bahīra. La caravane a souvent fait halte à cet endroit, sans pour autant inciter ce moine solitaire à sortir de sa cellule. Mais cette fois, la présence de Mahomet pousse l'anachorète à venir parler avec les caravaniers. Il les invite même à partager son repas. En songe, il a vu une caravane de chameaux s'approcher ; l'un des

Selon l'historien arabe, Ibn Hishām, qui vécut au VIIIe siècle, le moine Bahīra confirma ainsi sa vision prophétique : « Il interrogea l'Envoyé d'Allāh sur ce qu'il ressentait étant éveillé ou dans son sommeil. L'Envoyé d'Allāh répondit. Bahīra trouva tout cela conforme au signalement qu'il avait par devers lui. Puis il examina son dos et y vit le signe de la prophétie entre ses épaules… »

Ibn Hishām, mort vers 834, qui nous rapporte la légende de Bahīra, était l'élève de Ibn Ishāq, décédé vers 767. C'est, en effet, cent ans après la mort du Prophète qu'on se préoccupa d'en retracer la vie, la Sīra. Plus tard encore, Tabarī, disparu vers 923, poursuivit leur œuvre. Il leur fallut vérifier des milliers de hadīths, les récits oraux transmis par quatre ou cinq générations depuis les faits. Rien d'étonnant à ce que la vie de Mahomet à La Mecque soit l'objet de versions différentes, parfois même contradictoires. Quand on interroge un pieux musulman à ce propos, il a pour habitude de répondre : « Tu dis vrai, mais Dieu sait. »

conducteurs portait une auréole et un nuage flottait au-dessus de lui. Regardant Mahomet, Bahīra reconnaît le chamelier de son rêve visionnaire. «Tu es l'Envoyé de Dieu, le Prophète qu'annonce mon Livre saint, la Bible.» Au moment de partir, le moine recommande à Abū Tālib de prendre grand soin de l'enfant : « Retourne avec lui dans ton pays et prends garde aux juifs car s'ils voient en lui ce que, moi, j'ai reconnu, ils voudront lui faire du mal. »

Le moine avait vu juste, sinon que ce n'est pas contre les juifs que Mahomet aura à se défendre, mais contre son propre peuple. Pour l'instant, Mahomet n'est encore qu'un adolescent qui partage volontiers les jeux de son cousin Ali, un des fils d'Abū Tālib, et dont l'une des distractions favorites est d'accompagner les caravanes à la foire de Okaz.

Lors de la foire de la ville de Okaz, Mahomet découvre qu'au désert, la parole est d'or

Cette « Assemblée de jeunes gens aux portes de la ville », « Séance » des *Maqāmāt* de al-Harīrī, rappelle l'insouciance des jeunes Mecquois, peu enclins à écouter les austères prédications de Mahomet.

Le souk de Okaz, à quelques kilomètres de La Mecque, est la plus fameuse foire d'Arabie. On y fait du commerce comme nulle part ailleurs. Il n'est pas rare qu'un roi du Yémen y envoie une épée ou un cheval de pure race destinés à être achetés par « le plus noble des Arabes » ; alors, on élève une estrade et les acheteurs se présentent. C'est en vers que chacun expose pourquoi il se considère comme le plus noble des Arabes ; la tribu qui possède le meilleur poète a toutes les chances de gagner. La foule, passionnée, arbitre. Cette compétition poétique pour la gloire, *mufākhara*, ne sert pas seulement à acheter : à Okaz s'affrontent ainsi, dans un combat loyal, tous les poètes arabes. Les vainqueurs de ces compétitions de poésie sont vénérés. Leurs *qasīdas*, transcrites en lettres d'or sur de la soie noire, sont suspendues dans l'enceinte du sanctuaire pendant un an, afin que les vers soient connus de tous. Les poèmes couronnés reçoivent le nom de *mu'allaqāt*, « les suspendus ».

C'est à cette foire de Okaz que Mahomet comprend que, pour les Arabes, la parole vaut plus que l'or. Les palais bâtis sur le sable se sont effondrés, comme Palmyre, les villes deviendront un jour ruines, mais la parole est magique. Puissante et invisible comme le vent dans les dunes, elle transforme, elle détruit. Le verbe est divin. Mahomet ne l'oubliera pas.

Par son mariage avec Khadīdja, liée par son clan aux *hanīfs*, Mahomet, jeune homme pauvre, devient un homme riche et puissant

Il semble que Mahomet, trop pauvre, soit resté célibataire plus longtemps qu'il n'était d'usage dans son milieu. Dans la société bédouine, le mariage idéal est le mariage entre cousins. Mahomet aurait, en vain, demandé à Abū Tālib la main de sa cousine Umm Hani.

La fortune va cependant bientôt lui sourire. Une femme l'a remarqué. Elle s'appelle Khadīdja, fille de Khowaylid. Elle est veuve et a déjà été mariée deux fois. Très riche, elle dirige, seule, ses affaires, et ses caravanes sont les plus importantes de La Mecque. Pour les mener en Syrie,

Les foires, à l'époque pré-islamique, sont l'occasion de festivités et de joutes oratoires. On déclame des vers. La poésie est d'une souplesse et d'une richesse remarquables. S'agençant sur une métrique et des rimes rigoureuses avec alternance de syllabes longues et brèves, la qasīda est une longue louange de l'homme valeureux. La construction générale de l'œuvre importe parfois moins que la perfection d'un seul vers d'un rythme finement ciselé.

elle prend Mahomet comme l'homme de confiance. Khadīdja trouve Mahomet séduisant et décide de l'épouser. Mais cela soulève bien des difficultés : d'abord, elle a près de quarante ans quand lui en a vingt-cinq. Ensuite, Khadīdja est très riche et Mahomet très pauvre. Son clan ne peut que s'opposer avec acharnement à ce mariage. Comble, malgré les avances de Khadīdja, Mahomet ne comprend pas que cette riche veuve souhaite l'épouser, lui l'employé ! Alors Khadīdja a recours à une intermédiaire, Nafissa bint Monya, qui explique clairement au jeune homme que sa patronne le veut pour mari. Mahomet accepte. Le mariage est célébré en 595.

En pénétrant dans le clan de Khadīdja, Mahomet va rencontrer des hommes pieux et ascètes, comme Waraqah ibn Naufal, le neveu de son épouse. Il est si savant qu'il peut traduire l'Evangile du syriaque en hébreu ou en arabe. C'est un *hanīf*, c'est-à-dire qu'il tend au monothéisme, sans cependant adhérer au judaïsme ou au christianisme.

L'historien Tabarī rapporte ainsi les souvenirs de Nafissa bint Monya : « Khadīdja m'envoya vers Mahomet pour le sonder. Je lui dis : " Mahomet ! Qu'est-ce qui t'empêche de te marier ?' Il me dit : 'Je ne possède pas de quoi me marier. " « Je lui répondis : " Et si quelqu'un en avait pour deux ? Et si on te conviait à la beauté, à la fortune, à une situation honorable et à l'aisance, est-ce que tu n'accepterais pas ? " « – De quelle femme s'agit-il ? – De Khadīdja. – Que dois-je faire ? – C'est moi qui m'en charge. – Et moi aussi j'agirai. »

Seule ombre au tranquille bonheur de Mahomet : Khadīdja ne lui donne pas de fils

De parent pauvre d'une famille illustre, obligé de gagner sa vie au service des autres, Mahomet est devenu un personnage considéré qui peut, enfin, mener une existence paisible. Désormais, il n'a plus de soucis matériels. Mais, encore une fois, le sort s'acharne. Zaynab, Roqayya, Fātima et Umm Kulthūm : la femme de Mahomet ne met au monde que des filles. Il y a bien eu des garçons, mais ils sont morts en bas âge. Or, on le sait, c'est une honte chez les Arabes que d'être privé d'héritiers mâles. D'autant plus que la coutume permet une polygamie presque illimitée. Un homme riche peut même s'acheter facilement de jeunes et belles esclaves.

Mais Mahomet est lié à Khadīdja et à elle seule, et tant qu'elle vivra, il lui sera fidèle. C'est pourquoi, plutôt que de prendre une autre femme, il préfère adopter deux garçons : son jeune cousin Ali, le fils de son oncle Abū Tālib, dont les affaires périclitent, et un esclave, cadeau de Khadīdja, un certain Zayd – qu'il affranchit – originaire de la tribu de Kalb, fortement christianisée.

Mahomet a maintenant quarante ans. Il a pris l'habitude de se retirer, des nuits entières, dans une caverne de la colline de Hirā, à quelques kilomètres de La Mecque, sur la route de Tā'if. Aride et nu, le mont Hirā est un lieu propice à la méditation, car rien n'y vient distraire l'âme.

CHAPITRE III

L'ENVOYÉ DE DIEU

Gabriel, Djibrīl en arabe, Gabrî'êl en hébreu, l'« homme de Dieu », est, dans la Bible, un archange envoyé sur terre pour révéler la vision du prophète Daniel. Pour la tradition islamique, les anges ont été créés de feu, d'eau et d'air. Ils ne mangent ni ne boivent, ne se marient ni ne meurent.

Cette nuit de l'an 611, comme à l'accoutumée, Mahomet est couché dans une des grottes de la colline, enroulé dans son manteau, la *burda*. Malgré le froid, il s'est endormi. Soudain, une créature éclatante, enveloppée d'un nuage de lumière, le réveille par ces mots : « Tu es l'Envoyé de Dieu, le Prophète d'Allāh ! »

C'est un homme terrifié, tremblant de tous ses membres qui descend de la colline de Hirā en titubant. Une sueur froide coule sur son front, dissimulé par l'étoffe qui entoure son visage aux traits tirés. Ses yeux noirs brillent de fièvre, ses épaules sont secouées d'un frisson convulsif. Son désarroi est si grand qu'il songe à se jeter du haut de l'escarpement d'une montagne : il est assailli d'une impression de violence, d'étranglement, de suffocation.

Mais qu'a-t-il vu, qu'a-t-il entendu, cet homme mûr, trempé aux épreuves de la vie, pour être ainsi bouleversé ? Satan ? Il n'est pas loin d'en être convaincu ; ou, au contraire, l'ange Gabriel – *Djibrīl* en arabe –, le messager de Dieu, venu lui annoncer son destin ?
Il lui faudra plusieurs révélations pour l'en convaincre. Cette nuit-là, il ne trouve que sa femme Khadīdja à qui confier son désarroi. Longtemps encore, elle restera sa seule confidente. Toujours, elle le soutiendra.

Le mont Hirā, également appelé Jabal al-nūr, le « mont de Lumière », se dresse au nord-est de La Mecque. Joseph Pitt, voyageur anglais du XVIIᵉ siècle, dépeint avec bonheur ces collines où les Mecquois faisaient retraite : « La Mecque est entourée d'une infinité de petites éminences très rapprochées les unes des autres... Elles sont constituées de rochers noirâtres ; vues à distance, elles ressemblent un peu à des meules de foin. » C'est sur l'une de ces collines que Mahomet perçut la « Lumière » révélée par Djibrūl. Il incarne l'esprit, *rūh* en arabe. Selon plusieurs récits, le Prophète aurait vu l'ange Gabriel doté de six cents ailes. Mais, selon d'autres, il avait l'apparence d'un homme de force moyenne. Les commentateurs expliquent que le Prophète vit un ange annonçant une révélation divine, là où d'autres ne virent qu'un homme ordinaire.

La Révélation : une épreuve terrible, dont Mahomet sort chaque fois épuisé, profondément ébranlé

Le nom Allāh, la « divinité unique », est un des noms arabes de Dieu. Il en a quatre-vingt-dix-neuf autres, dont certains sont connus, car donnés en prénoms aux garçons musulmans : Hakīm, le « Sage », Karīm, le « Généreux », 'Azīz, le « Puissant », etc. Avec l'islām, on assista à la mutation de l'écriture en un art suprême : la calligraphie. Dorénavant, les lettres de l'alphabet arabe consigneraient les paroles sacrées du Coran et reproduiraient graphiquement le nom d'Allāh et de son Prophète.

Khadīdja, qui a maintenant cinquante-cinq ans, se montre maternelle, rassurante. Mais Mahomet, lui, a peur d'être devenu la proie de ces djinns qui emportent l'esprit des hommes, les condamnant à errer sans raison dans le désert. Alors Khadīdja décide de prendre conseil de son parent, le fils de son frère, Waraqah ibn Naufal, qui connaît si bien les Ecritures juives et chrétiennes. Ce neveu rassure et inquiète Mahomet. Il le rassure en comparant l'expérience que vit Mahomet à celle des prophètes comme Moïse ; mais il l'inquiète en lui annonçant que son propre peuple l'expulsera, car jamais personne n'a apporté la Révélation sans susciter l'hostilité.

Mahomet s'habitue peu à peu à ces révélations, qui se renouvellent. Mais c'est toujours une épreuve douloureuse et pénible. Il reste des heures entières inconscient, comme en état d'ivresse, frissonnant, transpirant abondamment. Il entend des bruits bizarres, des chaînes, des cloches, des bruissements d'ailes. « Pas une fois, dira-t-il plus tard, ne me fut adressée une révélation sans que j'aie cru qu'on m'enlevait l'âme. »

Elu par Allāh, Mahomet a pour mission de « réciter » aux hommes ce que lui dicte le Ciel. Ainsi naît l'islām

Quand l'Etre glorieux ne se manifeste plus à lui, Mahomet éprouve ce sentiment de sécheresse et d'angoisse bien connu des mystiques. Il se croit abandonné, il doute. Mais là s'arrête la comparaison, car Mahomet n'accomplit que les premiers stades du périple mystique. Ce n'est pas une expérience personnelle et intime qu'il vit, dans le but de rencontrer son Dieu et de se fondre avec lui. Il acquiert bientôt la conviction qu'il a été choisi pour Prophète, c'est-à-dire comme intermédiaire, comme porte-voix par lequel Dieu transmet aux hommes ce qu'il veut révéler.

En effet, Dieu ne parle jamais directement aux hommes. Jusqu'à présent les lois promulguées par les prophètes comme Adam, Abraham, Moïse, Jésus ont été transcrites de la main de l'homme. Mahomet, lui, ne fait que « réciter » ce que la voix divine lui ordonne de transmettre. La récitation orale, solennelle, devant un auditoire, se traduit en arabe par le mot *qur'ān*, qui a donné en français le mot *Coran*, le Livre sacré des musulmans.

Le message – là est la nouveauté – est révélé à Mahomet en langue arabe, telle que la parlent les poètes du Hedjaz, mais qui est comprise dans toute l'Arabie. Aussi cette langue dans laquelle Dieu a choisi de s'exprimer est-elle désormais élevée au statut de langue sacrée, la langue du Coran. Le mot *islām* signifie « soumission à la volonté de Dieu ». C'est un substantif tiré du verbe arabe *aslama* qui veut dire « se soumettre ». Le participe actif de ce verbe, *muslim*, désigne celui qui se soumet, qui obéit ; il a donné le terme français de « musulman ».

Abū Bakr naquit probablement peu après 570. On l'appellera plus tard *al-siddīq,* l'« ami sincère ». Et, en effet, il fut l'ami le plus sincère du Prophète. Musulman de la première heure, il consacra sa fortune à acheter et affranchir les esclaves convertis à l'islām. Mahomet le choisit pour l'accompagner dans son émigration à Médine. En mariant sa très jeune fille 'Ā'icha au Prophète, Abū Bakr devint le beau-père de Mahomet. A la mort du Prophète, il fut choisi pour être son successeur, devenant ainsi le premier calife de l'Islām.

زاندن الا بلال حبشی خوش اوازله شهادت کلمه سن اعلام ایدردی
اشکاره یوروردی چاغروردی چونکه قریش بونلری کوردیلر
بریره یوملوب طانشوق اتدیلر کیم دورالر واردار الجزانده حضرت
رسولك اوستنه یوریالر قریشه مشتولدیلر کیم اوش عمر ابن خطاب

Se soumettre à Dieu et lui obéir, tel est le principe de base du message que reçoit Mahomet. Il va prêcher qu'il est sage de se soumettre à Allāh, Dieu unique, tout-puissant, capable de ressusciter les morts et d'anéantir les incroyants. Allāh, lors du Jugement dernier, récompensera infiniment les bons et punira les méchants. C'est un message simple. Mais comment va-t-il être reçu ?

Lorsqu'il apprit la conversion de Bilāl, son maître lui ordonna de se renier. Bilāl refusa. Il fut aussitôt dépouillé de ses vêtements, enchaîné, puis conduit à l'entrée de la ville. Là, il fut abandonné dans le désert, un énorme rocher posé sur la poitrine l'empêchant de respirer et de faire un geste. Lorsque Abū Bakr apprit son supplice, il se rendit immédiatement chez son maître et proposa de racheter pour un prix trés élevé cet esclave mourant et inutilisable. Le maître accepta et Bilāl fut aussitôt affranchi.

Mahomet va d'abord tenter de convertir ceux de son clan. Mais il se heurtera à l'indifférence, au mépris et à l'hostilité

Ses premiers disciples sont ses plus proches parents et son entourage direct : Khadīdja, son épouse ; Ali et Zayd, ses deux fils adoptifs. En dehors des gens de la maisonnée, le premier converti est un marchand aisé, nommé Abū Bakr. Homme ferme, son courage et sa pondération font l'admiration de tous. Il a trois ans de moins que le Prophète, et deviendra son ami fidèle. D'autres convertis, beaucoup plus jeunes, se recrutent parmi les jeunes gens de bonne famille appartenant à des clans influents de La Mecque, tel 'Uthmān ibn Affān, jeune dandy, beau garçon, plus préoccupé de toilettes que de religion. Les mauvaises langues de La Mecque prétendent d'ailleurs que sa conversion est surtout due à son amour pour Roqayya, une des filles de Mahomet. A côté de ces riches convertis, on trouve des gens sans fortune comme Khabbāb ibn al-Aratt, le forgeron, fils d'une circonciseuse. A un rang encore plus bas se situe l'affranchi Sohayb ibn Sinān, dit *le Roumi*, c'est-à-dire le Byzantin, à cause de ses cheveux blonds. Enfin, tout en bas de l'échelle, des esclaves se convertissent, comme Bilāl, l'esclave noir, qu'Abū Bakr sauvera de la mort.

Mahomet a reçu l'ordre de convertir à l'islām d'abord ses plus proches parents. Or, ce sont les enfants de 'Abd al-Muttalib. L'actuel chef du clan des Hāchim est Abū Tālib, cet oncle qui l'a recueilli. Mais Mahomet sait déjà que ses exhortations seront vaines. Les enfants de 'Abd al-Muttalib ne croiront pas. Abū Tālib est, lui, un homme un peu lâche, qui n'a pas le courage d'abandonner la religion de ses ancêtres. Mahomet est convaincu de l'honnêteté de son oncle, mais il se doute qu'il ne peut rien attendre de lui.

Le deuxième personnage du clan est Abū Lahab, frère d'Abū Tālib, un homme très riche qui a tout intérêt à ce que soit maintenu le pèlerinage à La Mecque : les profits qu'il en retire sont aussi importants que ceux qui lui viennent des caravanes. Pour lui, commerce et religion vont de pair et les « divagations » de Mahomet à propos d'un dieu unique sont une menace pour la prospérité de sa famille.

Le troisième est Hamza, un chevalier du désert qui croit au code d'honneur bédouin. Pour lui, la vie est une compétition, une démonstration de courage et de force. Il se soucie peu de questions religieuses.

Quant au quatrième, Abbas, c'est un usurier, un homme qui fait des affaires à Tā'if, à La Mecque et à Médine. Il est bien loin de croire à ce dieu unique dont lui parle son neveu.

Les Quraychites vont tout tenter pour réduire Mahomet au silence

Mahomet éprouve une autre cruelle déception. Lui qui pensait pouvoir rallier facilement les fiers Quraychites – il est un des leurs et il est riche –, voici qu'il devient l'objet du mépris de ces commerçants. Comment ce prétentieux ose-t-il leur demander à eux, membres de l'illustre tribu, d'abandonner la religion de leurs ancêtres et de considérer son message comme l'unique vérité ? N'est-il pas devenu un peu fou, *majnūn* en arabe ? Que ne retourne-t-il à ses chameaux et à ses moutons ? Pourtant l'inquiétude gagne certains membres

Abū Tālib préside le *mala,* où les dignitaires quraychites vitupèrent son protégé, son neveu Mahomet, qui est cause de désordre religieux dans la ville. Le vieil homme, partagé entre son affection et les charges de sa fonction, ne cède pas aux injonctions des chefs de clan.

du clan. Cet Allāh dont parle Mahomet, ce dieu unique qui n'a pas de descendance et n'est issu de personne, tolérera-t-il les divinités et les djinns ? Ne va-t-il pas prôner l'abandon du sanctuaire de la Kaaba et la suppression du pèlerinage, cette formidable source de revenus ?

La vie et la mort de Mahomet dépendent d'Abū Tālib, le chef du clan. Tant que le prophète fait partie du clan, tous ses parents lui doivent aide et protection. Même s'ils ne l'aiment pas. Mais si Mahomet était exclu de son propre clan, tout s'arrangerait pour ses adversaires. Ils pourraient impunément le tuer. Aussi

Fils de 'Abd al-Muttalib et frère germain du père du Prophète, Abū Tālib hérita de son père les charges de la *siqāya* et de la *rifāda,* l'approvisionnement en eau et en vivres des pèlerins. Mais il s'endetta et, pour honorer ses engagements, transmit ses charges à Abbas, son demi-frère. Parmi ses enfants, Ali deviendra célèbre, car ce cousin de Mahomet sera non seulement l'un des premiers convertis mais aussi le gendre du Prophète dont il épousera la fille Fātima. Plus tard, sous son califat, naîtront les premiers schismes. Ses partisans prendront le nom de *chī'a,* d'où l'appellation de *chī'ites.*

les Quraychites envoient-ils des émissaires à Abū Tālib pour lui demander d'exclure Mahomet. Abū Tālib, c'est vrai, n'est pas converti, mais il refuse quand même de livrer Mahomet, son neveu. Il le protégera même, conformément à la loi du clan. Les Quraychites sont déçus. Ils ne renoncent pas pour autant, et s'adressent directement à Mahomet, lui envoyant une délégation pour une éventuelle réconciliation, conduite par un homme connu pour son sang-froid, Utbah. Ce dernier s'adresse à Mahomet : « Nous savons que tu es un homme raisonnable. Mais je n'ai pas besoin de te dire quelle agitation et quel désordre le message que tu prêches cause dans la ville. Que vises-tu ? Désires-tu de l'argent ? Nous t'en donnerons. Veux-tu être à la tête de la cité ? Nous sommes prêts à te choisir pour chef. Mais, de grâce, ne dis plus que nos divinités ainsi que ceux qui les adorent sont voués aux feux éternels de l'enfer. Si tu es malade, nous chercherons les meilleurs guérisseurs du corps et de l'âme. »

Mahomet écoute avec tristesse ce discours raisonnable. Non, les marchands de La Mecque n'ont rien compris. Ils ne veulent pas croire. Ce sont des « Infidèles ». Pour croire, ils lui demandent d'accomplir des miracles : faire couler dans le désert qui entoure la ville des fleuves bleus comme ceux de la Syrie ; rompre la lune en deux, comme une tartine. Désolé par tant d'incrédulité, triste de n'avoir pas réussi à se réconcilier avec son clan, Mahomet paisiblement leur récite un fragment de ce que Dieu lui a ordonné de proclamer : « Ô vous les incroyants, je n'adore pas ce que vous adorez. Que pensez-vous d'Al-Lāt, d'Al-Ozzā et de cette déesse Manat ? Auriez-vous donc des fils quand Dieu n'aurait que des filles ? C'est vous-mêmes et vos pères qui avez inventé tout cela. » L'affront est de taille ; on ne parle pas ainsi impunément des déesses de la Kaaba. Les persécutions vont commencer.

Pourchassé, Mahomet gagne pourtant, grâce à la solidarité tribale, l'appui de Hamza, et trouve refuge dans la maison de Al-Arqam

Les objections et les railleries se multiplient contre Mahomet. La Résurrection des corps, le Jugement dernier – éléments essentiels du message d'Allāh – sont tournés en ridicule. On exige une date pour ce Jugement, on interroge le prophète sur le tourment du feu éternel : les ancêtres vont-ils être condamnés à ce supplice, eux qui ont vénéré les divinités de La Mecque ?

Le plus souvent, d'ailleurs, on n'interroge pas Mahomet, on l'insulte. On le traite de devin, de sorcier, de poète. On l'accuse d'avoir été soudoyé par des chrétiens et des juifs de la ville.

Outre les grandes processions qui, depuis des siècles, à des périodes précises, rassemblaient des foules innombrables venues de toute l'Arabie, La Mecque connaissait, presque chaque jour, une cérémonie rituelle dédiée à l'une ou l'autre divinité du sanctuaire. Les lieux où leurs présences s'étaient manifestées étaient sacrées. La pratique la plus courante consistait à tourner sept fois autour du sanctuaire. C'était le rite de la *'omra*. Chacun, y participant, manifestait ainsi son attachement au clan, y faisait allégeance et pouvait ainsi prétendre à sa protection.

Son adversaire le plus féroce est Abū Jahl, chef influent du clan des Makhzum. Heureusement, Mahomet va trouver un soutien inattendu en la personne de Hamza, un de ses oncles, un homme pauvre et coléreux, tenté par la boisson, mais plein de vigueur et de courage. Un jour, revenant de la chasse dans le désert, Hamza entend une commère affirmer qu'Abū Jahl, le chef du clan des Makhzum, a insulté Mahomet. Il s'enflamme. Les questions religieuses ne l'intéressent guère, et il est plutôt hostile au message de Mahomet, qui ne respecte pas les dieux des ancêtres. Reste que frapper son neveu, c'est comme si on lui coupait un doigt à lui, l'oncle. Celui qui touche à un membre du clan fait souffrir le clan tout entier. Hamza a la réaction du Bédouin. Il se sent lié à Mahomet par la solidarité tribale. Il ne peut plus se dominer et court, en armes, à la recherche du fautif, qu'il blesse avec son arc. Au terme du conflit, Abū Jahl reconnaît être allé un peu loin, et Hamza, par solidarité, se fait musulman.

Cette solidarité tribale préserve Mahomet des pires persécutions, mais ses disciples sont victimes de pressions morales et physiques. Marcher dans la rue devient dangereux pour les musulmans, à qui l'on jette des pierres.

Mahomet s'est organisé pour résister aux persécutions. Il est aidé par un membre du clan des Makhzum, ce clan quraychite qui ne cesse de le persécuter, Al-Arqam ibn 'Abd-Manāf. Il offre aux adeptes de la nouvelle religion le refuge de sa maison, vaste et bien située. Il est significatif que Mahomet n'ait trouvé asile que chez Al-Arqam : désormais, le Prophète est un homme sans clan. Il est seul. La vie à La Mecque devient de plus en plus difficile : le commerce de Khadīdja est ruiné et la situation financière des disciples fortement compromise.

Ibn Ishāq, l'historien arabe qui vécut au VIIIe siècle, décrit ainsi Abū Jahl (ci-contre, en haut à gauche, frappé par Hamza) : « S'il entendait parler de la conversion à l'islām d'un homme honorable, entouré d'alliés, il l'admonestait vigoureusement et lui faisait honte. Il lui disait : " Tu as abandonné la foi de ton père qui était meilleur que toi... " Si c'était un marchand, il le menaçait de boycotter son commerce. Si c'était un homme sans influence, il le battait et montait les gens contre lui. »

Face aux persécutions dont ils sont victimes, les disciples de Mahomet doivent se résoudre à l'exil

En 615, le Prophète conseille à certains musulmans de fuir en Abyssinie. Conduit par un cousin de Mahomet, Djafar, fils d'Abū Tālib et frère d'Ali, un petit groupe, composé de l'élégant 'Uthmān ibn

Affān, de son épouse Roqayya et de quelques autres, se dirige vers ce qui est devenu l'actuelle Ethiopie. Venant d'Arabie, il leur faut traverser la mer Rouge. Là, ils sont accueillis par le Négus, roi chrétien dont la sagesse a apporté richesse et prospérité au pays. Les émigrés sont-ils ceux dont le Prophète juge la foi la plus fragile ? Y a-t-il des rivalités à La Mecque entre l'élégant 'Uthmān et ce commerçant pondéré qu'est Abū Bakr, dont Mahomet suit fidèlement les avis ? Certains ont voulu voir dans cette émigration une solution pour apaiser des conflits naissants, et même un prétexte pour écarter certains croyants dont l'opinion divergeait de celle de Mahomet.

Ce qui est sûr, c'est que cette première émigration révèle une sympathie naissante entre musulmans et chrétiens. Les relations nouées entre les Abyssins et les Arabes sont si cordiales que

Abū Bakr se dépensa sans compter pour faire admettre la nouvelle religion à ses pairs. Ici, debout parmi les chefs de clans, il les conjure d'écouter Mahomet et les exhorte à regarder les nouveaux préceptes religieux non comme une divagation de secte, mais comme l'avenir de La Mecque et de l'Arabie toute entière. Vaine tentative ! Ni la fougue du jeune homme, ni l'éloquence de l'ancien ne les convainc.

certains, parmi ces derniers, impressionnés par les églises abyssines et le culte chrétien, se convertissent au christianisme. C'est le cas de Sukrān ibn Amr, dont l'épouse, Sauda, se réfugie dans la maison de Mahomet, à La Mecque, après la conversion de son mari. Sauda sera bientôt suivie par les autres émigrés, qui rejoignent les musulmans restés en Arabie.

La conversion d'Omar, ennemi farouche de l'islām, redonne courage aux croyants

Pendant la fuite en Abyssinie, un groupe d'environ quarante hommes et une vingtaine de femmes poursuit en effet le combat, dans la maison de Al-Arqam. Des musulmans font le guet devant la porte, parce que, plusieurs fois, ils ont été attaqués par surprise pendant qu'ils étaient à l'intérieur : les Quraychites, exaspérés par les conversions, qu'ils cherchent à empêcher, se font de plus en plus agressifs. A tel point qu'un Mecquois, Omar ibn al-Khattāb, décide de tuer Mahomet de sa propre main.

Mahomet recommandait aux croyants d'être amis des Abyssins. N'a-t-il pas échangé des lettres avec l'empereur d'Éthiopie, l'ancienne Abyssinie, dont l'autorité s'étendait alors à l'Arabie Heureuse ? Le Négus reçut ainsi des messagers porteurs de propositions d'alliance. Parmi les hommes de confiance du Prophète, Omar, après sa conversion, sera particulièrement chargé de ces missions diplomatiques.

C'est un homme redoutable, parce que extrêmement violent. Il est si grand qu'il est toujours obligé de se baisser pour entrer dans une maison. Sa fierté et son orgueil sont indomptables. Sur la route qui mène à la maison de Al-Arqam, Omar court, l'épée dégainée, vers le lieu de réunion. Mais voici qu'il rencontre quelqu'un à qui il révèle ses projets, et qui lui dit qu'il ferait peut-être mieux de regarder dans sa propre famille. Omar apprend ainsi que sa propre sœur Fātima et son mari Sa'īd sont convertis à l'islām.

Omar appartenait à un clan peu influent de La Mecque, celui des Banū 'Adī ibn Ka'b. Après la mort de Mahomet et celle de Abū Bakr, il fut désigné calife. Avec lui, l'Islām, de simple épisode de l'histoire arabe, devient un phénomène mondial et Omar mérite l'épithète de « saint Paul de l'Islām » que l'Occident lui a donnée. Durant son califat naîtront toutes les institutions politiques et seront instaurés le pèlerinage obligatoire et la datation selon l'ère hégirienne.

Il rebrousse chemin et rentre chez lui, où se trouve l'humble forgeron Khabbāb, en train de lire le Coran à sa sœur et à son beau-frère. Entendant le pas de Omar, Khabbāb se cache dans une autre pièce. Mais Omar a perçu des voix. Il veut savoir qui était là. Devant l'attitude coupable de sa sœur, qui refuse de répondre, il la frappe et la blesse à la tête. La vue du sang provoque en lui un repentir sincère. Il a été trop violent. Il demande à lire ce qu'il a entendu. Le texte lui paraît sublime. Transporté, il court à la maison de Al-Arqam et se convertit.

Personne ne soupçonne alors que son destin sera exemplaire et que, après la mort de Mahomet, il deviendra un des plus célèbres califes de l'islām. Ce qui est important, à l'heure actuelle, c'est que la conversion d'Omar donne une vigueur nouvelle à la jeune communauté. L'adhésion du fier Mecquois, qui a la même violence dans la haine que dans l'amour, enhardit les disciples au point qu'ils osent maintenant faire leurs prières en public, près de la Kaaba. Cette pratique de la prière distingue vraiment les croyants des autres Mecquois, et pourtant ils ne sont pas encore organisés en une véritable communauté.

Dans le Coran, ainsi que dans les ouvrages postérieurs consacrés à l'histoire des prophètes, les *qisas al-anbiyā'* – *nabī* signifie « prophète » en arabe, le pluriel est *anbiyā'* –, Mahomet se rattache à une lignée de prophètes commencée par Adam et dont il est le dernier représentant. Dans l'énumération manquent les grands prophètes de l'Ancien Testament. Le Coran ignore, en effet, les prophètes d'Israël : Osée, Ézéchiel, Isaïe, Jérémy. A leur place, sont cités Loth, Joseph, Salomon ou Job. Jésus et saint Jean-Baptiste sont les derniers membres de la série. La grande nouveauté du Coran est que Abraham et Ismaël sont considérés comme les patriarches des Arabes.

En 619, année de deuil, Mahomet s'interdit de pleurer la mort de sa femme Khadīdja et de son oncle Abū Tālib

Khadīdja a soixante-cinq ans quand elle meurt. Elle était l'épouse de Mahomet depuis vingt-cinq ans. Elle avait été son conseiller, son trésorier, sa compagne, son directeur de conscience, sa première disciple. Sa mort plonge Mahomet dans la désolation, il est inconsolable. Mais il lui faut continuer à vivre et à élever ses filles. Il épouse donc Sauda, la fidèle qui s'était réfugiée chez lui quand son mari s'était fait chrétien en Abyssinie. Veuve, divorcée ? Les textes hésitent. Ce qui est certain, c'est que c'est une brave ménagère, sans attraits, mais qui peut s'occuper des enfants.

Deux jours après la mort de Khadīdja, Abū Tālib décède, âgé de près de quatre-vingt-dix ans. Cette disparition est dramatique pour Mahomet, qui se retrouve sans protecteur. Car c'est Abū Lahab qui succède à son frère défunt à la tête du clan des

Hāchim : Abū Lahab, l'ennemi juré du Prophète. Ce dernier ne vient-il pas d'affirmer que 'Abd al-Muttalib et Abū Tālib se trouvent avec les idolâtres dans les flammes de l'enfer ?

Les funérailles d'Abū Tālib furent l'occasion d'une impressionnante manifestation de cohésion religieuse des Mecquois. Respectant les rites ancestraux des hommages aux défunts, on interdit à Mahomet et à ses disciples de vénérer le mort selon les leurs. Définitivement exclus, ils trouveront leur salut à Aqaba.

Pour les Arabes, vouer sa famille à l'enfer est un crime contre la lignée, le pire des crimes. Mahomet devient donc une brebis galeuse, un exclu, un hors-la-loi, puisqu'il n'a pas respecté la loi du clan. Un exclu est un homme mort, socialement : n'importe qui peut impunément le tuer, le vendre, le torturer, sans encourir aucune vengeance, puisque son clan ne le défend plus. Dès lors, la situation devient intenable pour Mahomet. Ses ennemis s'en donnent à cœur joie ; ses voisins lui jettent un utérus de brebis quand il prie ; un voyou lui verse du sable sur la tête... Il lui faut songer à quitter cette ville maudite de La Mecque.

Après avoir été persécuté à Tā'if et toujours isolé parmi les Mecquois, Mahomet prêche les pèlerins. La providence lui fait rencontrer ceux de Yathrib

En cet été 620, les pèlerins se pressent nombreux autour de la Kaaba. Alors qu'il s'applique à recruter des disciples parmi les étrangers présents à La Mecque, Mahomet rencontre six habitants de la ville de Yathrib, venus en pèlerinage. Impressionnés par la personnalité de Mahomet, ils pensent qu'il pourrait peut-être résoudre les difficultés de leur cité, troublée par de nombreux conflits.

L'année suivante, cinq de ces six hommes reviennent accompagnés de sept autres. Ils sont donc douze, comme les douze apôtres de Jésus. Et c'est alors le *Premier Serment d'Aqaba*, du nom de ce défilé montagneux aux environs de La Mecque où ils se réunissent pour discuter. Mahomet demande aux habitants de Yathrib de le protéger comme ils protégeraient leurs filles et leurs femmes. C'est la formule classique du serment pour ceux qui n'ont pas de clan et qui veulent entrer dans un autre. C'est pourquoi le Premier Serment d'Aqaba est également dit « serment des femmes ». Ce serment est une chose grave. Dans cette société arabe du désert où un individu ne se conçoit pas sans ses ancêtres et sans arbre généalogique, Mahomet coupe volontairement tout lien avec sa propre famille. Il affirme par là que la loi du clan est dépassée ; ce ne sont pas les liens du sang qui comptent mais les liens d'alliance, une alliance fondée sur un idéal commun. A la notion de tribu succède donc celle de communauté, la *oumma*.

En l'an 622, ce sont soixante-quinze pèlerins de Yathrib – soixante-treize hommes et deux femmes – qui jurent à Mahomet, dans cette gorge sauvage d'Aqaba, qu'ils combattront pour lui. C'est le « serment de guerre », le *Deuxième Serment d'Aqaba*. Mahomet est devenu un chef, non pas un chef de tribu mais, comme Moïse, le chef d'un peuple.

Déchirée par les rivalités qui opposent ses diverses tribus, Yathrib a besoin d'un arbitre puissant. Ce sera Mahomet

Située à 350 kilomètres au nord-ouest de La Mecque, Yathrib est une très ancienne cité, mentionnée dès le VIe siècle avant notre ère dans un texte babylonien. La population est forte de trois mille âmes environ. Il y a là des Juifs, qui ont adopté dans une large mesure les coutumes arabes, et parlent un dialecte arabe ; ils forment trois tribus : les Qorayza, les Nadhīr, et les Qaynoqā'. A côté de ces Juifs, on trouve deux tribus arabes dominantes : les Awf et les Khazraj.

Leurs querelles intestines précipitent la décision des plus pacifiques d'entre eux de demander à Mahomet de venir y mettre bon ordre. Pour l'heure, ce sont les Awf qui ont expulsé les Khazraj. Mais demain, de quoi sera-t-il fait ? De nouveaux combats ? Une nouvelle razzia ? La verdoyante Yathrib vaut la peine d'enrayer cette spirale fratricide.

C'est une oasis riche en eaux souterraines, en magnifiques palmiers et en vergers. La situation y est donc bien différente de celle de La Mecque, autour de laquelle aucune agriculture n'est possible. Yathrib, au contraire, tire ses moyens d'existence de la culture des dattes et des céréales, et sa population est plus paysanne que commerçante. Mais la menace des Bédouins du désert, pleins de mépris pour les paysans sédentaires, pèse sur les habitants, et les relations entre les divers clans et tribus se sont peu à peu envenimées. Vendettas, contre-vendettas, la vie est devenue intenable. La prospérité agricole est en péril, et la ville compte sur Mahomet pour rétablir la paix.

Le mot *aqaba* signifie « route de montagne », par extension, un lieu d'accès difficile. De nombreux lieux portent ce nom. Le plus connu est celui qui se trouve entre Minā et La Mecque. Là où Mahomet rencontra les envoyés de Yathrib, une oasis pourvue d'une grande richesse en cours d'eau. En réalité, ils ne sont en eau qu'après les pluies, qui sont la cause d'une telle élévation de la nappe phréatique qu'un grand nombre de sources et de fontaines surgissent. Cependant, elle n'est pas la seule ville arrosée par des cours d'eau. Tā'if, située sur une hauteur, est réputée comme lieu verdoyant de villégiature. C'est de là pourtant que Mahomet se fit chasser à coups de pierres. Ce fut une grande déception, car il avait pensé, dans un premier temps, émigrer de La Mecque vers Tā'if.

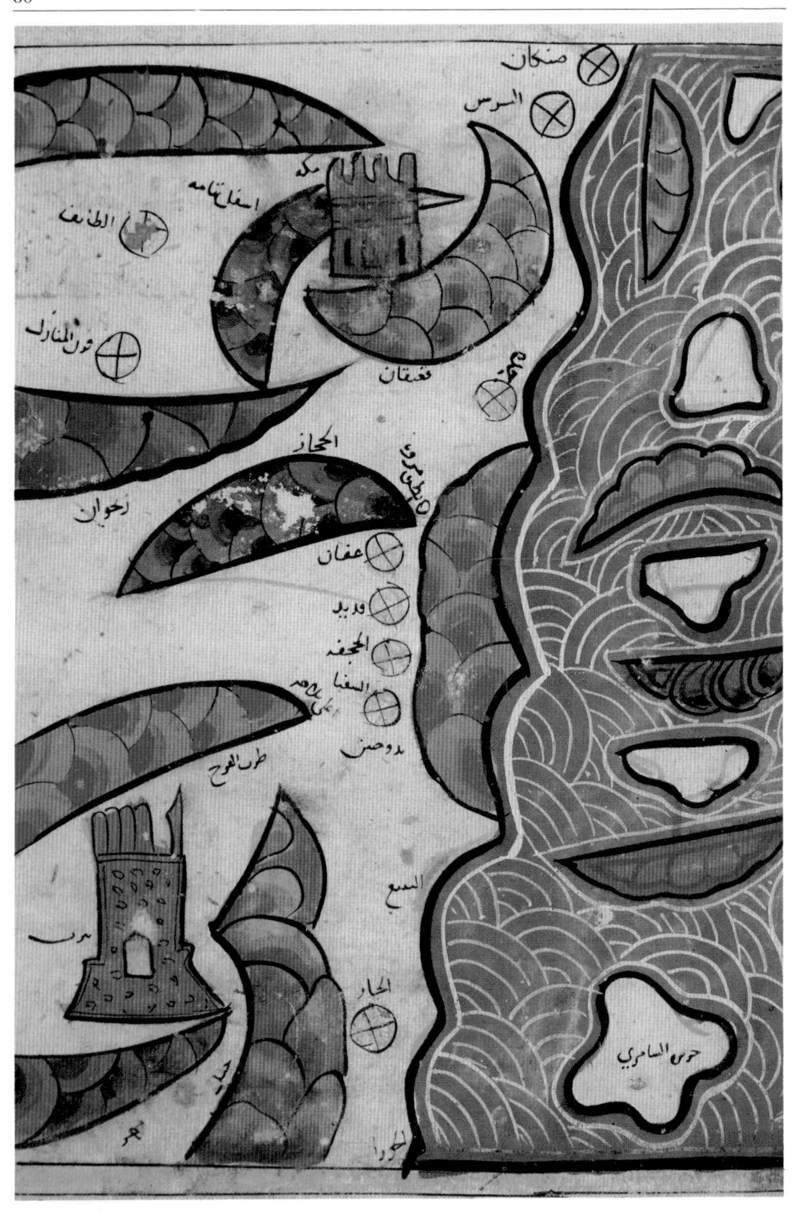

صنكان
السرس
مكه
اسفل تهامه
الطائف
قرن المنازل
الحجاز
زحوان
عسفان
الجحفه
السقيا
الجار
حوض السامري

En 622, Mahomet quitte La Mecque, sa ville natale, pour s'exiler à Yathrib. C'est l'hégire, l'« émigration », qui va marquer le début d'une ère nouvelle. Depuis trois mois déjà, les disciples du Prophète ont, les uns après les autres, pris la route de l'oasis. Mahomet part le dernier, un matin de septembre, mais il sait que les Mecquois veulent sa tête, et qu'il ne sera pas en sécurité avant d'avoir atteint Yathrib.

CHAPITRE IV

L'AN I DE L'HÉGIRE

Autour des puits, fontaines et hammāms de Médine s'agenceront caravansérails et mosquées. Sur son modèle, seront bâties la ville ocre de Marrakech, Alger la blanche, la prestigieuse Damas et les autres villes musulmanes.

Mahomet et Abū Bakr font une halte au cours de l'hégire. Pour atteindre l'oasis de Yathrib ils ont dû, en effet, se reposer fréquemment et, traversant le désert, se méfier des Bédouins avec lesquels les oasiens sont en conflit ouvert depuis des temps immémoriaux.

Le matin même de son départ, début septembre, Mahomet échappe à une tentative d'assassinat : Ali, son cousin, a pris sa place dans son lit, et quand arrivent les Mecquois, venus tuer le Prophète dans son sommeil, ce dernier est déjà loin. Ses ennemis laissent la vie sauve à Ali, mais partent à la poursuite de Mahomet. Conduits par un guide, celui-ci et Abū Bakr, l'ami fidèle, ont furtivement pris la direction du sud, à l'opposé de Yathrib. Les Mecquois ne sont pas dupes du stratagème et se lancent sur leurs traces.

La légende musulmane raconte que, cachés dans une grotte, les deux hommes sont sur le point d'être découverts quand un miracle se produit : une araignée se met à tisser sa toile devant l'entrée de la caverne pendant qu'une colombe couve tranquillement ses œufs là où sont entrés Mahomet et son ami. Voyant cela, les Mecquois passent leur chemin, persuadés que depuis longtemps personne n'est entré dans la grotte. Après trois jours, les recherches cessent.

Mahomet, Abū Bakr, son affranchi et un guide mettront un mois pour atteindre Médine

Les fugitifs prennent le chemin de Yathrib. Tant qu'il vivait à La Mecque, le Prophète était sous la protection de celui qui l'avait accueilli à son retour de Tā'if. A Médine, il sera sous la protection des Médinois. Mais entre les deux villes son sang peut être impunément versé. Aussi, la caravane des fugitifs fait de nombreux détours et ne parvient à destination que fin septembre.

Les quatre hommes traversent la localité de Thaniyat-al-wada, voisine de Yathrib. Le voyage touche à sa fin. Ils entrent dans la petite ville de Quba. Mahomet s'arrête et demande à Abū Bakr la faveur de lui vendre la chamelle sur laquelle il a voyagé jusqu'ici. C'est en effet Abū Bakr qui a acheté les bêtes et Mahomet tient à faire son entrée à Médine sur

Les Bédouins – dont le nom vient de *bādiya*, la « steppe » – ont besoin pour survivre des agriculteurs sédentaires établis dans les oasis. Ils leur vouent pourtant un souverain mépris. Les oasiens, dispersés dans leurs champs, occupés aux travaux agricoles, sont vulnérables. Ils sont l'objet de rapines incessantes des fiers nomades du désert.

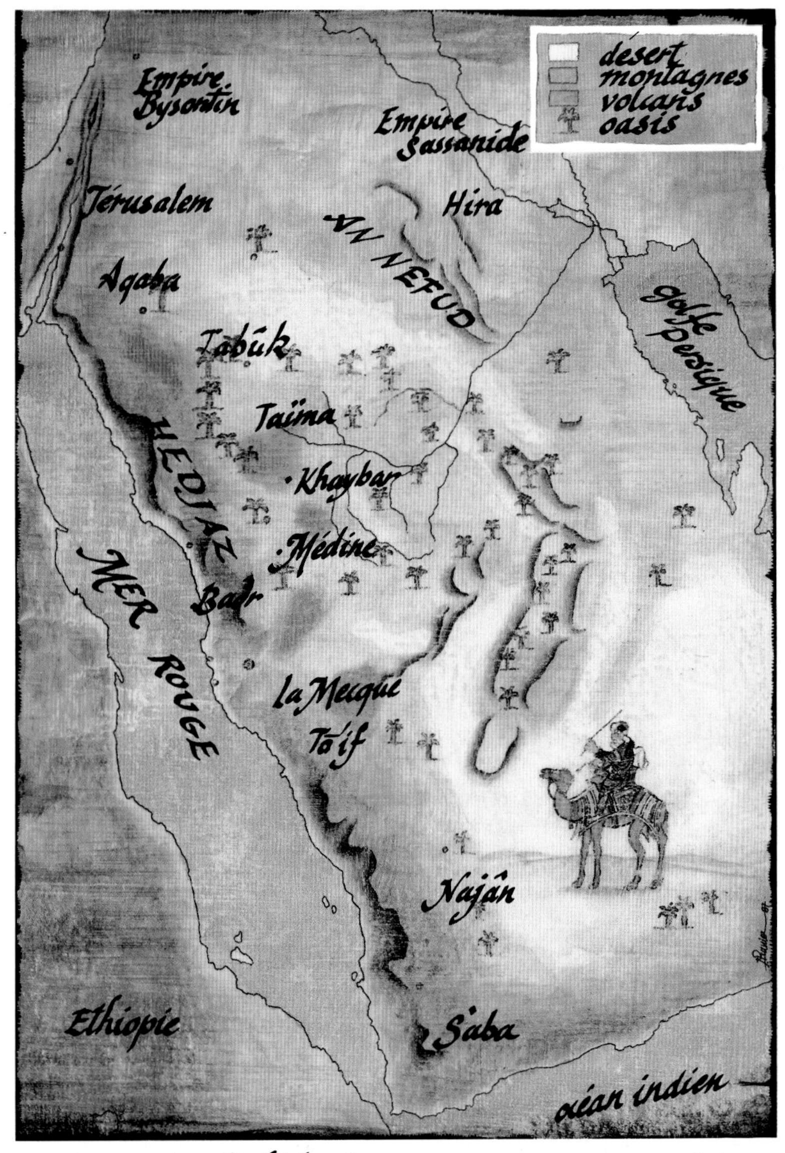

• Carte de l'Arabie au VIIème Siécle •

sa propre monture. Abū Bakr accepte et le Prophète lui paie quatre cents dirhams. L'animal s'appelle Qaswa, « celle qui a un quart d'oreille coupée ». La chamelle du Prophète entre dans l'Histoire.

L'hégire : une rupture géographique, psychologique, sociale et temporelle

Mahomet atteint la ville de Quba, au sud de Médine, « le soleil étant à son zénith », ainsi que le rapporte le Coran. Depuis plus de dix jours, la population l'attend dans la fièvre, surtout ses disciples partis avant lui et qui sont au comble de l'anxiété. Mais à midi, quand le soleil brûlant tombe à la verticale, les gens rentrent dans leurs maisons. A une exception près : un homme, un Juif qui travaille dans sa palmeraie. Il aperçoit les fugitifs et, au comble du bonheur, il se met à courir dans les rues et à crier le plus fort qu'il peut : « Voici votre chance qui arrive. » Les hommes, les femmes et les enfants sortent dans les rues.

A dater de ce jour, une nouvelle ère commence pour les croyants. L'hégire a été accomplie.

L'hégire, en arabe *hidjra*, ne signifie pas « fuite » mais « émigration », « expatriation ». Plus qu'un simple déplacement géographique, c'est véritablement une rupture avec la famille, le clan et un attachement à d'autres clans. L'hégire est un événement capital dans l'histoire de l'islām, car il divise le temps en deux versants. Avant, c'est l'époque de l'organisation tribale ; après, s'ouvre une ère nouvelle, fondée sur un islām qui est autant un message religieux que l'organisation d'une communauté de croyants.

C'est le 24 septembre 622 de l'ère chrétienne que Mahomet atteint l'oasis de Yathrib. Toutefois, la tradition fait débuter l'an I de l'hégire non pas en septembre, mais le 16 juillet, soit le premier jour de l'année lunaire. Alors que l'ère chrétienne, qui se fonde sur le calendrier grégorien, compte le temps en années solaires, l'ère islamique le mesure en années lunaires ; celles-ci sont de onze jours plus courtes : elles ne comptent que trois cent cinquante-quatre jours. Tous les musulmans vont maintenant calculer les années à partir de cette date du 16 juillet 622.

Dans la sourate IV, « Les femmes », verset 100, on peut lire à propos de l'hégire : « Quiconque émigre, dans le chemin d'Allāh, trouve sur terre de nombreux espaces et possibilités. » L'émigration du Prophète ne s'est pas faite sans mal. Le Coran le rappelle dans la sourate IX, « Revenir de l'erreur », verset 40 : « Si vous ne le secourez pas, Allāh en revanche l'a secouru quand, expulsé par les Infidèles, avec un seul compagnon, il disait à celui-ci, alors qu'ils étaient tous deux dans la grotte : " Ne t'attriste point ! Allāh est avec nous. " »

Devenue la ville du Prophète, Yathrib est désormais connue sous l'appellation arabe de *al-Madīna*, qui signifie « la Ville »

Médine n'est pas à proprement parler une ville, au sens où nous l'entendons aujourd'hui. Sur une vaste étendue, on trouve des maisons isolées, mais aussi des huttes groupées au milieu de plantations de palmiers et d'arbres fruitiers.

Une première difficulté se présente pour Mahomet. Où s'installer ? Quel endroit choisir dans la ville ? Accepter l'hospitalité d'une famille, c'est encourir le risque de rendre les autres jalouses. C'est aussi aliéner sa liberté. Le Prophète va passer deux ou trois jours à Quba, cherchant à évaluer la situation. Elle est située sur une hauteur au sud de l'oasis. Tout près se trouvent les tribus juives. Il en conclut que cette ville n'est pas le meilleur endroit pour s'installer de façon définitive. Mahomet part donc un matin vers les terres situées plus au nord.

La tradition rapporte que, abandonnant la bride de sa chamelle, il aurait déclaré aux habitants : « Laissez aller cette monture, car elle a reçu l'ordre divin. » Livré à lui-même, l'animal erre longtemps dans les ruelles, pour s'accroupir enfin au milieu d'une place vide appartenant à deux orphelins. Les caravanes de passage ont l'habitude d'y faire halte, le terrain inculte ne servant qu'au séchage des dattes. Mahomet achète la parcelle et donne l'ordre de construire.

Lieu de culte par excellence, la mosquée accueille aussi les activités et les réunions profanes

Deux mois plus tard apparaît un édifice assez simple, bâti en pierres et briques d'argile séchées au soleil. C'est le premier sanctuaire musulman ; on lui donne le nom de *masjid*. Le mot, sous la forme *masguedā*, désigne, en nabatéen et en syriaque, un endroit où l'on se prosterne. Nous en avons fait, d'après la prononciation ancienne *masguid*, conservée encore en Egypte, le mot « mosquée ».

Une cour rectangulaire, semée de sable et de graviers est entourée d'un mur de briques. Côté nord, une rangée de troncs de palmiers parallèle au mur soutient un toit d'argile et de feuilles de palmiers. Côté

L'édifice érigé par les compagnons du Prophète était rudimentaire. Et pourtant, le plan de l'humble demeure inspirera celui des grandes mosquées. Celles du Caire, de Kairouan, de Damas et d'autres lieux musulmans célèbres en témoignent. Il y aura toujours une cour à ciel ouvert, bordée de préaux et galeries, et une grande salle de prière dont le mur de fond, le *mirhab,* indique la *qibla,* la direction de la Kaaba, matérialisée par une niche creusée dans le mur. Pour ces prestigieuses mosquées, on fera un toit divin, des coupoles d'une extraordinaire richesse ornementale. Car le Coran enseigne : « le toit que Dieu a donné au monde, il l'a éclairé de lumières variées ».

عرق اوجمق برله قا رليشماق اكانه مسك بكزيه ونه عنبر بكزيه ديكى
اندن فاطمة الزهرى ايتدى نعم بكا اتام اويله ايدر ديكم يا فاطمه اجمغيه

est, on a bâti deux cabanes, pour chacune des deux femmes du Prophète. Celui-ci s'est, en effet, marié avec la petite 'Â'icha, la fille de son ami Abū Bakr, qui a neuf ans, et que son père destinait depuis trois ans déjà à Mahomet. Le Prophète n'a pas d'habitation propre. Il loge à tour de rôle chez ses femmes. C'est dans la cour, à la manière arabe de l'époque, qu'il se tient le plus souvent, recevant les délégations des

tribus voisines, traitant les affaires, prononçant des sermons. On y garde les prisonniers attachés. On s'y livre à des jeux de lances et de bouclier. Les compagnons pauvres y couchent. On y fait aussi la prière en commun.

Dans les premiers temps, il semble que Mahomet garde l'espoir de gagner à sa foi les juifs, dont il considère la religion comme très proche de celle qu'il prêche. Les croyants se tournent donc vers Jérusalem pour la prière.

Mais l'enthousiasme qui précède l'arrivée de Mahomet cède le pas à des sentiments mêlés. Il y a les « Hypocrites », les *Munāfiqūn*, ceux qui font mine d'accepter le message islamique mais n'en croient pas un mot ; ils se différencient des « Auxiliaires », les

A Médine, le Prophète parlait à ses fidèles du haut d'une chaire en bois. Toutes les mosquées sont dotées d'une telle estrade, à laquelle on accède par quelques marches. On l'appelle le *minbar*. C'est en l'an 7 de l'hégire que le Prophète construisit le sien. Il fit deux marches et le siège, le *maq'ad* : une sorte de trône surélevé. Le matin qui suivit la mort de Mahomet, Abū Bakr prit place sur le minbar et y reçut les hommages unanimes.

Ansār, musulmans sincères de Médine, alliés aux « Émigrés » de La Mecque, appelés *Muhājirūn*. Plus forts, plus nombreux et plus riches que les Émigrés, les Auxiliaires n'hésitent pourtant pas à conclure avec Mahomet une alliance qui place le Prophète au rang de chef incontesté.

C'est grâce à cette alliance, connue sous le nom de *Constitution de Médine*, que Mahomet parvient à étendre son influence, en contractant notamment des pactes avec les tribus juives et arabes.

Chef des croyants, mais aussi chef de la cité, Mahomet va, pour faire respecter son autorité, devenir un prophète en armes

Les tribus qui entrent dans l'alliance forment une confédération, dont les membres se doivent une protection mutuelle, la garantie d'une sécurité réciproque, le *aman* : ils sont alors *mūminūn*, c'est-à-dire bénéficiaires de la sécurité. Ceux qui ne se soumettent pas au nouveau pouvoir, comme les Mecquois, sont les *kāfirūn*, les « Infidèles », tandis que les partisans de la nouvelle religion sont appelés *muslimūn*, les « musulmans ».

Les juifs ne sont pas rejetés. Ils peuvent, s'ils le désirent, adhérer au pacte ; un article de la constitution stipule : « Si quelqu'un parmi les juifs nous suit, il a droit à la même assistance, au même appui que les musulmans, à condition toutefois que ceux-ci ne soient pas lésés par lui. »

Il s'agit donc d'une communauté formée non d'individus, mais d'un certain nombre de groupes : émigrés mecquois, auxiliaires médinois, tribus juives de Médine... Chaque groupe a son chef. L'ordre n'est assuré que par la crainte de la vengeance des autres membres du groupe. C'est là une structure typiquement arabe. Mais ce qui diffère, c'est la personnalité de Mahomet. Certes, il est le chef des émigrés quraychites, mais il est aussi le chef de tous les croyants, y compris donc des croyants des autres groupes. Chef de groupe, mais aussi prophète, il a de ce fait une autorité morale qui peut devenir une autorité effective. Mais pour avoir l'autorité, il est nécessaire de posséder la force des armes...

Le Prophète était souvent l'invité de ses fidèles, invitation à laquelle il ne se dérobait jamais. Les dattes constituaient l'aliment de base. On les mangeait avec du pain d'orge. On cuisinait peu. La viande était grillée ou bien découpée en tranches et séchée au soleil. On préparait des soupes, telles la *harīra* faite de farine cuite avec du lait, la *madīra* enrichie de viande, le *sawīq* cuisiné avec du gruau d'orge séchée, de l'eau et de la graisse de queue de mouton. L'apparition de l'islām ne modifia pas profondément l'alimentation arabe mais imposa la saignée rituelle des animaux et l'interdiction des boissons fermentées.

دوزلدی ذوق وصفالر اولدی اولولق حرمتی تمام یرینه کلدی
بوکز مدینه یهودیلرینه خبر اولدی انلر دخی باشقه برجماعت
ایدی جمیع اولادی ایله انلر دخی طشره کلدیلر ارمون بن قیطون

A l'humble persécuté de La Mecque va faire place un conquérant dur et orgueilleux

Entre La Mecque et Médine, un profond changement s'est opéré en Mahomet. La fragile victime est devenue un redoutable chef. Cette métamorphose peut surprendre, mais elle s'explique. Les dures années mecquoises l'ont doté d'un caractère tenace hors du commun et lui ont appris à s'orienter dans l'entrelacs des luttes de clans. Mahomet sait que La Mecque est promise à un rapide effondrement. Il pressent qu'il lui suffira d'attendre le bon moment pour reconquérir une cité lassée de ses déchirements internes.

Il est fort possible d'ailleurs que les sources dont nous disposons concernant la période mecquoise aient gommé l'image d'un Mahomet ferme et décidé, au profit d'un Mahomet doux et résigné. Il ne faut pas non plus oublier que l'idée que les chrétiens se font du fondateur d'une religion est fortement influencée par l'image de Jésus, « agneau de Dieu qui enlève les péchés du monde ». On retrouve d'ailleurs cette projection de la figure de Jésus sur celle de Mahomet dans les biographies tardives du prophète musulman.

Or, on sait que Mahomet a grandi dans le désert, au milieu des Bédouins, qu'il a conduit des caravanes durant de longues années et connu le danger permanent des attaques de nomades brigands. Aussi n'a-t-il sans doute jamais eu la douceur de Jésus, qui recommandait de tendre la joue gauche lorsqu'on lui frappait la droite. D'ailleurs, Jésus a-t-il eu réellement cette douceur dont on l'a paré ? N'a-t-il pas chassé avec violence les marchands du temple ?

Mahomet, avec toute sa conviction religieuse, avec sa foi profonde en sa mission divine, n'est pas l'un de ces mystiques qui consacrent au Ciel toutes leurs pensées. Sa fonction prophétique réside dans un solide équilibre entre l'expérience religieuse et l'action. S'il n'en avait pas été ainsi, comment les gens de Médine auraient-ils pu reconnaître en lui l'homme fort, capable d'imposer à tous l'ordre et la loi ? A l'inverse de Jésus, son royaume est aussi de ce monde. Certains l'ont déjà pressenti. Tous vont bientôt l'apprendre.

L'arrivée de Mahomet à Médine fut un événement qui ne pouvait être dignement célébré que par un banquet. Cette ancestrale manifestation de l'hospitalité arabe est un devoir sacré, même pour les pauvres. Déjà, avant l'islām, on égorgeait son unique chamelle en l'honneur de son hôte, à qui l'on servait les meilleurs morceaux. On préférait le nourrir en se privant plutôt que d'être traité d'avare. Si aujourd'hui encore, on accorde tant d'importance à l'hospitalité, à la générosité et au courage, c'est parce que ce sont les manifestations les plus visibles du sentiment de l'honneur si important dans la rude société du désert.

“ La parole de l'ima
conduisant la prière,
face au mirhab dans
mosquée, c'est aussi
parole divine
psalmodiée par le
muezzin lorsqu'il
appelle à la prière du
haut du minaret. La
parole divine passe
ainsi de l'intérieur de
mosquée à l'extérieur
ou plutôt unit
l'intérieur et l'extérie
qui ne sont, pour un
musulman, comme l
sacré et le profane, q
deux visions de la
communauté. ”

Roger Garau
l'Islām habite no
aven

Le repli secret

« Dieu en témoigne !
Qu'aucun soleil ne se lève ni se couche
Sans que Ton amour soit uni à mes souffles
et que je ne m'isole pour m'entretenir avec autrui
Sans que tu sois mon entretien avec autrui
Et que triste ou joyeux je ne T'invoque
Sans que Tu sois dans mon cœur parmi mes doutes
Et que de soif je ne m'apprête à boire de l'eau
Sans que je voie une image de Toi dans ma coupe
Ah ! si je pouvais, j'irais à Toi
Courant sur le visage ou marchant sur la tête ! »

Hallaj (fin IXe, début Xe siècle), *Poèmes mystiques*.

La gloire d'Allâh

« C'est Lui qui me glorifie au moment où je le glorifie.
Il est un mode d'être où c'est moi qui Le reconnais
Tandis que dans les heccéités éternelles, je Le nie.
Mais là où je Le nie, c'est Lui qui me connaît
Lorsque c'est moi qui Le connais, c'est alors que je Le contemple.
Comment serait-il Celui qui se suffit à soi-même,
Puisque je L'assiste et Lui vient en aide ? »

Ibn Arabī
(fin du XIIe siècle),
Poème sur la prière.

La voix du désert

« La pensée islamique est demeurée à l'écart des grandes mutations culturelles intervenues en Occident depuis le XVIe siècle, car elle continue de maintenir le mystère dans l'analyse des obligations religieuses (...) Cette notion de mystère (Ghayp) nourrit une sagesse mais paralyse en même temps la pensée ainsi qu'on peut le vérifier dans cette déclaration de Ghazālī (XIIe siècle) sur le caractère irrationnel des rites du pèlerinage :
« Pour ce qui est du hadjdj, les âmes n'y ont aucune part, la nature ne s'y reconnaît pas, la raison n'en découvre pas les significations : c'est uniquement le Commandement divin qui pousse à les accomplir. » »

Mohammed Arkoun, *Lectures du Coran*.

دوشدي رضي الله عنها اني اول غزايه بيله الدي
كتدي و دخي مجموع اصحاب ياتيله يراغله عزم ايلديلر
اندن يوله كرديلر كتدلر پس تقدير رباني وامر
سبحاني انوك كبي اولديكم يولده اول لشكر كيدركن

Quelques mois seulement après leur arrivée à Médine, Mahomet et les Émigrés se trouvent dans une situation sans issue : en quittant La Mecque, leur ville natale, les plus riches n'ont emporté qu'un maigre pécule. Ils ne peuvent travailler des terres qui ne leur appartiennent pas, mais ils ne sauraient non plus dépendre éternellement de l'hospitalité des musulmans médinois. Pour assurer la survie de sa communauté, Mahomet va renouer avec l'ancestrale tradition du désert...

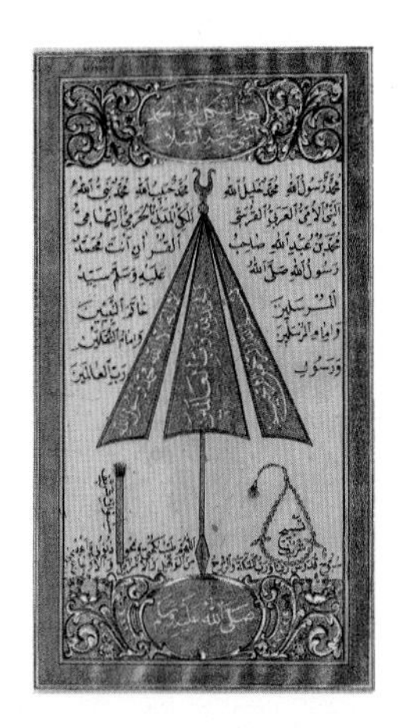

CHAPITRE V

LE GUERRIER DE MÉDINE

L'étendard du Prophète, emblème de son pouvoir guerrier. Au combat, chaque unité déployait son drapeau, la *rāya*. Le commandant en chef arborait sa propre bannière, la *liwā'*, dressée à proximité de sa tente.

L'installation à Médine de quelque soixante-quinze étrangers est une charge durement ressentie par les familles d'Auxiliaires. Et, malgré la générosité de ces dernières, la faim et la maladie frappent durement les Emigrés. La plupart du temps, ils n'absorbent que des dattes et de l'eau. L'hiver, ils souffrent de l'humidité, à laquelle leur aride cité natale ne les a pas habitués. Ils ont la fièvre, la dysenterie ; la malaria atteint même Abū Bakr et quelques autres disciples.

Dans l'adversité, Mahomet réagit en Bédouin. Une seule solution s'ouvre à lui : celle de la *razzia*. Coup de main limité, mené à dos de chameau – le cheval est réservé pour la course finale –, la razzia est sanctionnée par la capture de bétail et de chameaux. Le plus souvent sans mort d'hommes, le raid peut dégénérer, dans les cas les plus graves, en conflit ouvert, avec effusion de sang et rapt d'enfants et de femmes. En fait, la razzia n'est que la forme marginale d'une économie de subsistance. C'est pourquoi elle est un aspect normal de la vie du désert arabe. La razzia est en général destinée à capturer les chameaux d'une tribu hostile ; aussi est-il impossible, pour les Emigrés, de s'en prendre aux caravanes des tribus bédouines dont l'itinéraire passe à proximité de Médine : ces voisins-là sont alliés aux Auxiliaires et il faut se garder de les mécontenter. Mais les Mecquois ? Leurs caravanes cheminent à une centaine de kilomètres de Médine, pour se rendre en Syrie.

Dès la première razzia conduite par Mahomet, il est admis que la Voix de Dieu l'emporte sur la coutume du désert

En décembre 623, les Emigrés passent à l'attaque, pillent un chargement et rapportent triomphalement à Médine butin et prisonniers. On appelle cet épisode le *raid de Nakhla*. Mais un Mecquois a été tué et ce meurtre jette la consternation dans la communauté médinoise, car il a été commis au cours d'un mois sacré, le mois de *rajab*, pendant lequel il est interdit de verser le sang. Cette trêve des mois sacrés du pèlerinage, tous l'observent. La réprobation soulevée par cet acte est grande, mais une révélation divine survient, pour affirmer que les péchés commis par les

Les Arabes ne connaissaient pas l'art de la guerre des Byzantins et des Persans. Ils pratiquaient un combat très peu élaboré et possédaient un armement rudimentaire. Chevauchant des méharis – de rapides chameaux dressés à la course – ou des chevaux, mais capables aussi de combattre à pied ils excellaient dans la manœuvre d'attaque soudaine, du harcèlement de l'ennemi et de l'esquive rapide. Sur le champ de bataille, répartis par clan, ils combattaient en unités distinctes, disposées en lignes. Javelots et lances étaient les armes des premiers assauts, l'épée ferraillait dans les combats rapprochés.

Mecquois dépassent en gravité le meurtre commis pendant un mois sacré. Ainsi le message de Mahomet place la cause de Dieu au-dessus de la coutume du désert. Mais c'est une modeste victoire que ce raid de Nakhla ; les besoins financiers des Émigrés commandent de plus vastes entreprises. Une véritable occasion se présente à la mi-mars 624, l'an II de l'hégire, lors du passage d'une importante caravane de mille chameaux, de retour de Gaza. Escortée par plusieurs dizaines de commerçants quraychites, sous la conduite d'Abū Sufyān. Elle recèle plus de cinquante mille dinars de marchandises. Le convoi signalé, Mahomet s'embusque avec trois cents hommes près du puits de Badr, où la route de Syrie, quittant la côte, s'enfonce quelque peu dans les terres pour gagner La Mecque, et d'où aussi part une route pour Médine. Les Émigrés ne sont pas plus de quatre-vingt-dix, les autres assaillants sont des Médinois.

La bataille de Badr, qui fera soixante-quatorze morts et quarante prisonniers du côté mecquois et quatorze morts seulement parmi les troupes de Mahomet, restera celle de la première grande victoire du Prophète. Désormais on ne parlera plus de razzia, mais de guerre sainte, le *djihād*, contre les ennemis d'Allāh. Les musulmans tombés au combat reçoivent le titre de *chahīd*, martyr, témoin de Dieu, et le butin est partagé à raison d'un cinquième pour le Prophète.

Pour la première fois, l'islām triomphe par les armes. Pour la première fois aussi, les marchands de La Mecque prennent conscience de l'audace du

La petite ville de Badr est située dans une plaine entourée de collines escarpées et de dunes de sable, dans les replis desquels les Médinois étaient cachés à la vue des Mecquois. Le prophète fit emplir de sable tous les puits à l'exception du plus proche du champ de bataille. Il invoqua l'aide d'Allāh pour que la pluie tombe. L'ondée rendrait le terrain bourbeux et impraticable pour les Mecquois.

Prophète, de la conviction qui anime ses disciples et du danger réel qui les menace, eux et leur commerce. Du côté des musulmans, il ne fait désormais plus de doute qu'Allāh a envoyé ses anges pour soutenir Mahomet ; le principe du djihād, le combat dans la voie d'Allāh, trouve sa pleine justification. Les Quraychites sont désignés comme les Infidèles. Mahomet prêche ouvertement une religion triomphante, nettement détachée de la religion des juifs ou de celle des chrétiens. L'islām, dernière révélation prophétique, est présenté comme la religion suprême et définitive.

Le mot djihād signifie « effort tendu vers un but déterminé ». Pour les croyants, c'est l'effort sur soi-même en vue du perfectionnement moral et religieux. Juridiquement, c'est l'action armée en vue de l'expansion de l'Islām, et éventuellement de sa défense. Mais ce principe doit se combiner avec un autre qui tolère l'existence des adeptes des « religions à livres saints », les chrétiens et les juifs, les « gens du Livre ».

Les musulmans subissent une cuisante défaite sur le mont Ohod

Ce n'est qu'au printemps de l'année 625 que les Mecquois entreprennent de laver l'affront de Badr. Forts de trois mille hommes, dont deux cents cavaliers, ils se mettent en marche vers Médine. Sept cents Quraychites portent des cottes de mailles, très

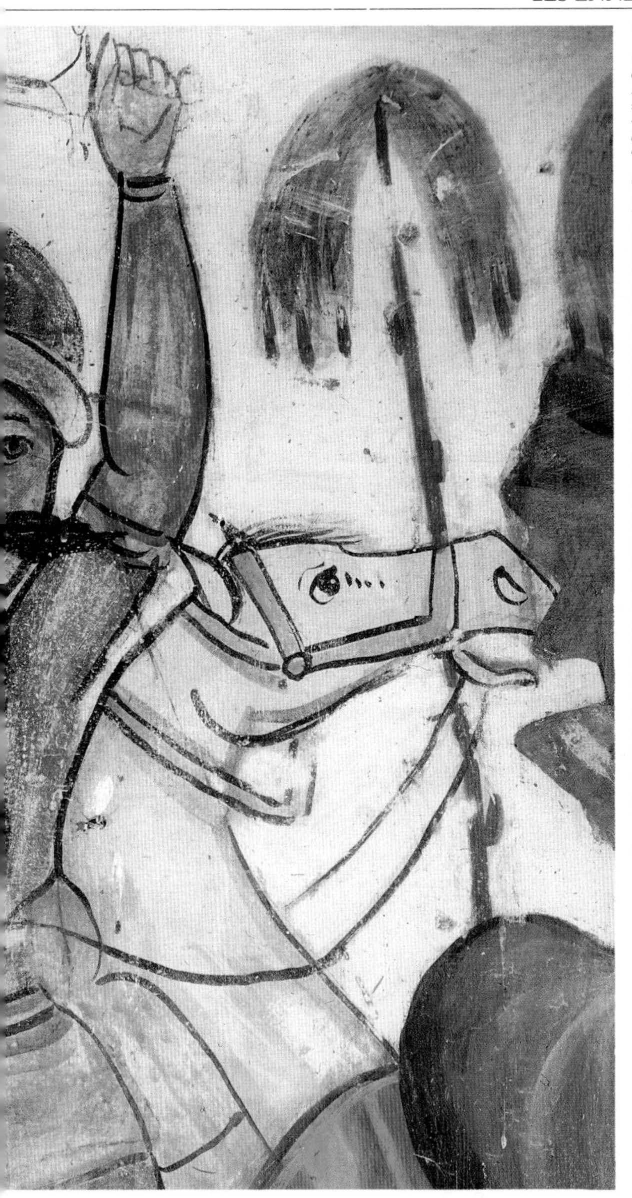

L'armement du combattant arabe comprenait quelques pièces majeures : le bouclier qui pouvait être en cuir ou en bois. Toutefois, le premier, du fait de sa pénétrabilité, donnait plus de prise à la lance de l'adversaire ; le casque, généralement en fer, dont le cimier, *gawnis* en arabe, rehaussait la partie antérieure, appelée *dabira ;* la cotte de mailles et le haubert qui inspirèrent au poète Ibn al-Mu'tazz cette harangue : « Lorsque tu t'es jeté dans la mêlée, porteur de ta cotte de mailles, et que tu t'es voilé le visage de ton haubert, nous avons pris ta figure pour le soleil du matin sur lequel on aurait mis un voile ambré. » ; les lances et les sabres dont le Prophète aurait dit : « Soignez vos lances et vos arcs. Par eux, la victoire fut acquise au Prophète ; par eux s'étendirent vos conquêtes. »

efficaces contre les armes du temps. A la tête de cette véritable armée, se trouve Abū Sufyān, secondé par le commandant de la cavalerie mecquoise Khālid ibn al-Walīd, remarquable stratège.

Mahomet décide d'attendre l'ennemi au pied du mont Ohod, hors de la ville. Mais alors qu'il croit disposer d'un millier d'hommes, trois cents Hypocrites se retirent. En dépit de cet abandon, les combats s'engagent. Les Mecquois sont presque vaincus lorsque les partisans de Mahomet, dédaignant les ordres et croyant la bataille gagnée, se ruent sur le butin. Aussitôt, l'ennemi se ressaisit et charge les Médinois, qui sont bientôt écrasés. Pendant que les femmes mecquoises stimulent leurs maris en criant les noms des victimes de Badr, les Quraychites nettoient la plaine, achevant les blessés. L'oncle du Prophète, le vaillant Hamza, est transpercé par le javelot d'un esclave abyssin, à qui son maître a promis la liberté. Les femmes mutilent les cadavres. Hind, l'épouse d'Abū Sufyān, ouvre la poitrine de Hamza, arrache le foie de celui qui a tué son père à Badr, et le mange. Quant au Prophète, une pierre lui a cassé une dent et fendu la lèvre. Le sang coule sur son visage. Pourtant les Mecquois en restent là, sans doute pour signifier que leur action est uniquement dirigée contre Mahomet et les Émigrés, et non contre l'ensemble des Médinois. A Médine, d'ailleurs, la situation du Prophète devient critique : juifs, païens et Hypocrites relèvent la tête, et seule la cohésion de ses fidèles permet à Mahomet de reprendre la situation en main.

Le casque porte divers noms en arabe, *quda, tarka,* rabi'a. Son port n'empêcha cependant pas Mahomet, à l'issue du combat de Ohod, d'être blessé au visage.

Bien que trahi par les Hypocrites, Mahomet contient les Infidèles aux portes de Médine

Deux ans plus tard, au mois de mars de l'année 627, le bruit parvient à Médine que les Mecquois se dirigent vers le nord. Leur intention d'en finir avec les musulmans est claire. Dix mille guerriers ont été réunis pour l'occasion, plus six cents chevaux et des chameaux. Le chef de l'expédition est Abū Sufyān, celui-là même qui avait dirigé les expéditions de Badr et d'Ohod. Sur les conseils d'un esclave persan, Salman al-Farisi, une tranchée est aussitôt creusée et trois mille hommes armés. Le fossé est fini en six

La « bataille du fossé » fut une innovation tactique de l'art militaire des Arabes. Salman al-Farisi adopta un moyen de défense connu en Perse. D'ailleurs le mot arabe *khandaq,* le « fossé », plus exactement la « tranchée », vient du syriaque, que parlait jadis la population du nord de la Mésopotamie.

jours. A peine est-il achevé que l'ennemi se présente. Postées de l'autre côté, les troupes d'Abū Sufyān commencent le siège. C'est en vain qu'à plusieurs reprises elles tenteront de franchir l'obstacle. Pendant deux semaines, ces treize mille hommes vont s'échanger, par-dessus la tranchée, des flèches... et des injures, en prose et en vers. Le quinzième jour, une violente tempête vient jeter le désordre dans le camp des Mecquois, arrachant les tentes, éteignant les feux, dispersant chameaux et chevaux. Abū Sufyān doit lever le siège, et les Quraychites reprennent le chemin de La Mecque. C'est une victoire pour Mahomet.

« Combattre vous a été prescrit, bien que vous l'ayez en aversion. Il est possible que vous ayez de l'aversion pour une chose qui est un bien pour vous et il est possible que vous aimiez une chose qui est un mal pour vous. Allāh sait, alors que vous ne savez pas. »
sourate II, versets 212-214

A l'issue de la « bataille du fossé », a lieu un épouvantable massacre de juifs. Depuis trois ans, le feu couve entre juifs et musulmans de Médine

Pendant le siège, la tribu juive des Qorayza a pris le parti des Mecquois. Le Prophète décide alors que les hommes de cette tribu seront décapités, les femmes et les enfants vendus, et leurs biens partagés pour les punir d'avoir souhaité la victoire des Infidèles. Dès le lendemain de la bataille, on fait creuser de grandes fosses dans le marché de Médine. On y mène les juifs ligotés, on les décapite un à un au bord des fosses, et on les y jette. Ils sont presque un millier.

En fait, les hostilités avec les juifs ont commencé dès le retour de la bataille de Badr. Le Prophète a d'abord pris pour cible la tribu juive des Qaynoqā', sans doute le plus faible des groupes juifs de Médine, composée essentiellement d'artisans orfèvres. Un banal incident a servi de prétexte. Une Bédouine mariée à un Médinois et convertie à l'islām, était allée au souk des Qaynoqā' vendre quelques produits de son jardin et de son élevage. Elle s'était assise près de l'atelier d'un orfèvre. De jeunes juifs se moquèrent d'elle et voulurent la pousser à lever son voile. Elle s'y refusa énergiquement ; alors l'orfèvre, muni d'une épingle, réussit, sans se faire voir, à fixer ses jupes de telle sorte que, en se levant, elle découvrit toute la partie inférieure de son anatomie. L'honneur des musulmans était en jeu. L'orfèvre juif fut abattu par un musulman, lui-même abattu par des juifs.

Les hostilités sont ouvertes. Mahomet réagit aussitôt en assiégeant la tribu coupable et en la contraignant à abandonner tous ses biens. Plus encore que la victoire de Badr, cette confiscation apporte la richesse aux Émigrés. Les deux autres groupes juifs également – les Nadhīr et les Qorayza – affichent ouvertement leur hostilité à l'égard du Prophète de

Médine comptait parmi ses habitants des juifs qui s'y étaient établis de longue date.
Les Banū Nadhīr portaient des noms arabes, mais parlaient leur dialecte. Ils s'étaient enrichis par l'agriculture, les prêts à intérêt, le commerce des armures et des bijoux.
Les Banū Qorayza étaient des propriétaires fonciers et des cultivateurs qui avaient amené l'agriculture à un très haut degré de développement. L'exceptionnelle cruauté dont ils furent victimes est due au fait qu'ils étaient restés seuls et sans défense après l'expulsion des autres tribus juives. Seuls quatre d'entre eux choisirent de se convertir pour sauver leur vie.
Les Banū Qaynoqā' dont le nom s'écarte des formes habituelles des noms arabes pratiquaient le commerce. Ils résidaient dans la partie sud-ouest de la ville. Ce qui gênait le plus les desseins de Mahomet.

l'islām. Un poète, nommé Ka'b ibn al-Achraf, n'a-t-il pas eu l'audace de se rendre à La Mecque aux lendemains de Badr, afin d'inciter les Quraychites à la vengeance ? Mahomet ne peut le tolérer et fait égorger le poète.

A la vérité, Mahomet a déjà décidé d'en finir avec les juifs, qui se moquent de lui et refusent de se soumettre. C'est pourquoi, au mois de février 624, il exhorte ses disciples à prier, non plus en direction de Jérusalem, mais de La Mecque. En août ou septembre 625, il ordonne aux Nadhīr de quitter Médine. Les juifs, encouragés par les Hypocrites, décident de résister. Les musulmans les bloquent alors dans leurs fortins et dévastent leurs palmeraies. Les assiégés se

Mahomet aurait prié soixante-dix fois pour son oncle Hamza, l'incluant dans la prière pour chacun des soixante-dix musulmans tombés à Ohod. Chaque année, il se rendait sur les lieux pour honorer sa tombe.

rendent et leurs biens sont confisqués. L'épuration se poursuivra jusqu'à l'ultime massacre qui suit, en 627, la « bataille du fossé ».

Mahomet a éliminé l'ennemi intérieur, les tribus juives, mais, à l'extérieur, la situation n'est guère brillante

L'islām est pris en tenailles entre les Infidèles de La Mecque et les juifs de Khaybar. La Mecque est la ville ennemie par excellence, la ville d'où Mahomet a été chassé, condamné à l'exil. Et voici qu'il annonce, à la stupéfaction générale, sa décision, prise à la suite d'un rêve, de faire le pèlerinage dans cette ville. Au mois de février 628, il quitte Médine et se dirige vers sa ville

« Ô vous qui croyez ! Invoquez beaucoup Allāh ! Glorifiez-Le à l'aube et au crépuscule. (...) Le jour où les croyants rencontreront le Seigneur, ils seront accueillis par le mot « Salut » et Allāh aura préparé pour eux une grande récompense. »
sourate XXXIII, verset 41

natale. Il invite tous ses fidèles à l'accompagner. Les Bédouins refusent, jugeant cette entreprise trop périlleuse. Et ils ne veulent pas participer à une éventuelle attaque contre La Mecque au moment du pèlerinage : leur foi en l'islām n'est pas profondément ancrée, et il faudrait peu de choses pour qu'ils reviennent à leurs anciennes croyances religieuses.

Mahomet entreprend la conquête de La Mecque, armé de sa seule foi

Les Émigrés sont au comble du bonheur. Mahomet et ses fidèles sont sans armes. Revêtus du costume traditionnel du pèlerin, ils sont plus de mille. Les Quraychites ne savent pas quelle décision prendre. Interdire à des pèlerins d'entrer est inconcevable, mais ces hommes sont leurs pires ennemis. Mahomet établit son camp à Hodaybiyya, aux portes de la cité. Pareille obstination conduit les Mecquois à proposer le *Pacte de Hodaybiyya* : Mahomet pourra, l'année suivante, disposer de La Mecque pendant trois jours. Pour les disciples, c'est une réelle déception, mais leur chef comprend qu'il s'agit d'un succès inespéré : pour la première fois les Mecquois traitent d'égal à égal avec les musulmans.

En mai 628, Mahomet s'attaque aux châteaux forts de Khaybar, une riche palmeraie, à 150 kilomètres environ au nord de Médine. Les juifs, par l'irrigation et une culture soignée, ont développé la production de dattes. Ils résident dans sept forteresses disséminées au milieu des jardins. Ce sont des sédentaires et, conformément à la coutume qui existe en Arabie, une partie de la récolte sert à acheter la protection des Bédouins voisins. Ils peuvent ainsi poursuivre paisiblement leur activité agricole. La tribu des Nadhīr, expulsée de Médine par Mahomet est venue se réfugier à Khaybar.

C'est ce jardin au milieu du désert que Mahomet a décidé d'attaquer. Il a pris avec lui mille six cents hommes. Après six semaines de résistance, les forteresses sont enlevées. Certains juifs sont emmenés en captivité. Parmi eux, une belle jeune fille de dix-sept ans, Safiyya, que Mahomet prend pour épouse après avoir fait tuer son mari qui cherchait à dissimuler ses biens. D'autres

Les récits de la bataille d'Ohod décrivent Mahomet chevauchant un magnifique cheval de race, très agile au combat, nommé al-Sakb. S'il fut sa première monture, il eut bien d'autres chevaux tels al-Mortajiz dont le hennissement, dit-on, suggérait la cadence des vers composés sur le mètre poétique appelé *rajaz* et Lizaz avec lequel aucun autre coursier ne pouvait rivaliser tant il était rapide.

préfèrent traiter avec le Prophète. Ils resteront dans l'oasis en qualité de métayers et devront verser aux musulmans qui sont allés à Hodaybiyya la moitié de leurs récoltes : ce qu'ils donnaient auparavant aux Bédouins pour être protégés.

Désormais, le pouvoir du Prophète est solidement établi. Mahomet se sent de plus en plus arabe. Un Arabe de La Mecque

En mars 629, Mahomet fait le pèlerinage à La Mecque. Il profite de ce voyage pour se réconcilier avec son clan. Le parent qui lui était le plus hostile, Abū Lahab, est mort en 624. C'est son oncle Abbas qui lui a succédé. Il est prêt à faire des concessions. Mahomet aussi. Il épouse Maymūna, la sœur de la femme d'Abbas. Il épouse également Umm Habība, la fille du puissant Abū Sufyān, et devient ainsi le gendre du personnage le plus influent de La Mecque.

Mais en janvier 630, prenant prétexte du meurtre d'un musulman, Mahomet rompt le Pacte d'Hodaybiyya, lève une armée considérable de dix mille hommes et marche sur La Mecque. Abū Sufyān, qui se convertit alors, fait accepter aux Mecquois les conditions du Prophète : libre entrée des musulmans dans La Mecque, sauvegarde de la vie et des biens de tous ceux qui n'y feront pas obstacle. Le 11 janvier 630, Mahomet et son armée pénètrent dans la ville. Le Prophète se rend à la Kaaba, en fait sept fois le tour, fait abattre les idoles et déclare sacrée l'enceinte du sanctuaire. L'entrée à La Mecque a donc lieu sans effusion de sang. C'est un triomphe à la fois politique et religieux.

Mahomet annonce que désormais la seule aristocratie sera l'aristocratie de la piété. Les fiers Quraychites, en se faisant musulmans, allient noblesse arabe et islām. De nombreuses tribus bédouines se rallient. En Arabie du Sud, les chefs religieux et civils de l'oasis chrétienne de Najrān signent un traité qui stipule que les chrétiens sont placés sous la protection des musulmans et doivent payer un tribut. Dans le Nord, Mahomet trouve des appuis parmi les tribus chrétiennes de la frontière byzantine... Médine forme désormais un Etat reconnu.

Lorsque Mahomet entra triomphalement à La Mecque en 630, il frappa les idoles aux yeux du bout de son arc avant de les faire renverser et détruire par le feu. Son combat contre l'idolâtrie avait été constant depuis le début de sa prédication. Pour nommer les idoles, les auteurs musulmans emploient le mot *sanam, asnam* au pluriel, qui désigne un objet d'un volume quelconque en pierre, en bois ou en métal. Beaucoup étaient de simples pierres comme Al-Lāt. La Pierre noire de la Kaaba n'est qu'une survivance de ce culte ancien. Certaines étaient des arbres comme Al-Ozzā. D'autres, de véritables statues, telle Hobal.

Ayant éliminé ou converti ses ennemis, à l'intérieur comme à l'extérieur, le prophète-guerrier va devenir un prophète-homme d'Etat. Mahomet doit maintenant doter Médine d'un système juridique, édicter des lois régissant la communauté musulmane. Allāh a soutenu son Prophète pendant la « guerre sainte », il va le guider dans l'organisation de la société islamique.

CHAPITRE VI

MAHOMET, HOMME D'ÉTAT

Souverain de Médine, conquérant de La Mecque, le Prophète n'est plus un simple *sayyid*, un chef arabe parmi tant d'autres. Il est devenu le guide de l'Arabie. Sur son trône, il reçoit les hommages des ralliés et les louanges de ses partisans.

L'État de Médine n'est pas un État comme les autres. Ce n'est pas seulement une confédération de tribus, mais une véritable communauté, qui obéit au vieux code bédouin dans la mesure où cela ne contredit pas les préceptes divins énoncés par le Prophète. De plus en plus, Mahomet réglemente lui-même les domaines du culte et du droit, organise les campagnes militaires, crée de nouvelles alliances. Mais le fondement avoué de sa puissance reste l'autorité d'Allāh. Médine est devenu un véritable État théocratique.

La société change rapidement. De nombreux étrangers vivent maintenant dans cette cité : des Perses, des Egyptiens, des Syriens, des Irakiens, des Yéménites : des fidèles qui ont entendu l'appel de l'islām, mais aussi des commerçants et des guerriers qui sont attirés par l'appât du gain. Médine est désormais une métropole. La question se pose de l'organisation de la croyance dans la société. Une véritable réglementation se met en place. Elle touche à la fois les domaines religieux, juridique et social. La vie de Mahomet s'accompagne en effet toujours de visions et de révélations, mais celles-ci mettent désormais l'accent sur l'organisation de la communauté musulmane.

La *shahāda,* dont la transcription surmonte la céramique ci-contre, scellée sur le tombeau de Mahomet à La Mecque, est la juxtaposition de deux courtes propositions : l'une affirme l'unicité de Dieu, l'autre que Mahomet est son envoyé. *« Lā ilaha illā Allāh wa Muhammad rasūl Allāh » :* en la prononçant, on devient membre de la communauté musulmane. Le Coran, dans la sourate CXII, révèle que Dieu est « Unique ». Il n'a ni fils ni père. Le mystère chrétien de la sainte Trinité est étranger aux musulmans.

Les « cinq piliers » de l'islām : l'indispensable soutien d'une communauté de plus en plus nombreuse et diverse

La pratique religieuse impose au musulman cinq obligations considérées comme les « cinq piliers » de l'islām. Mais alors que ces obligations existaient à l'état embryonnaire à La Mecque, à Médine, elles prennent une dimension plus sociale.

La première obligation, la profession de foi, la *shahāda,* où le musulman affirme qu'il n'y a de dieu qu'Allāh et que Mahomet est l'envoyé d'Allāh, sert de plus en plus de formule de conversion. Elle se répand, alors, bien au-delà du territoire de Médine.

La seconde obligation consiste dans l'exercice de la prière, la *salat,* répétée cinq fois par jour. Mais désormais, en priant, on ne s'oriente plus vers un sanctuaire étranger mais vers la Kaaba,

sanctuaire purement arabe. C'est l'ancien esclave Bilāl qui joue le rôle de *muezzin*, celui qui appelle à la prière du haut du minaret de la mosquée, en psalmodiant : « Allāh est le plus grand, il n'est pas d'autre divinité qu'Allāh. Mahomet est son prophète. Venez à la prière, venez à la félicité. »

La troisième obligation, l'aumône dite légale, la *zaka*, est un impôt qui alimente les caisses des musulmans de Médine et sert à entretenir l'armée. A partir de 626, il faudra ajouter un autre impôt,

obligatoire pour les juifs et les chrétiens désireux de conserver leur commerce ; la *djizia*, sorte de capitation.

La quatrième obligation a trait au jeûne, le *sawm*. Depuis la victoire de Badr, en 624, le jeûne de Achoura, pendant le mois de *muharram*, est remplacé par le jeûne de *ramadan*, le neuvième mois.

Mais c'est la cinquième obligation, le *hādjdj*, qui, depuis la conquête de La Mecque, revêt un éclat particulier, puisqu'il s'agit de l'obligation d'effectuer le pèlerinage dans la ville de la Kaaba.

Tout à la fois missel et code liturgique, le « code du pèlerin », tel celui-ci qui date du XVIIIe siècle, est le bréviaire du musulman qui entreprend le *hādjdj*. Outre les prières, il y revivra la belle légende d'Ismaël, ancêtre des Arabes. Il admirera le dévouement de la servante Agar qui, découvrant la source providentielle Zem-Zem après en avoir fait sept fois le tour, sauva de la mort le jeune Ismaël. Ismaël, que Dieu, éprouvant la dévotion de son père, Abraham, lui aurait demandé en sacrifice, mais changé au dernier moment en agneau sur le mont Arafat. Aussi vénérera-t-il Abraham qui reconstruisit la Kaaba sur les lieux mêmes du miracle.

Epoux de neuf femmes, Mahomet traite chacune d'égale manière, et exige que les musulmans en fassent autant avec leurs épouses

Les préceptes légaux édictés à Médine concernent surtout le mariage et la famille, questions vitales pour la jeune communauté. La réglementation coranique autorise les musulmans à épouser jusqu'à quatre femmes, à condition qu'ils subviennent équitablement à leurs moyens d'existence. Ce n'est pas une incitation à la polygamie, plutôt même une restriction, dans la mesure où il était difficile d'être juste envers plusieurs femmes.

Certes Mahomet vit, à Médine, entouré de neuf épouses : Sauda qu'il a épousée avant l'hégire, 'Ā'icha, fille d'Abū Bakr, Hafsa, fille d'Omar, Umm Salāma, veuve d'un de ses cousins, Zaynab, femme de Zayd, son fils adoptif, Safiyya, jeune femme d'origine juive, Jowayriya, fille du chef des Banū-l-Mostaliq, Umm Habība, fille d'Abū Sufyān et Maymūna, sœur de la

Le mont Hirā illustre fréquemment les documents religieux de l'islām, telle cette miniature persane du XVIIIe siècle. La vénération dont il est l'objet est à l'image de son importance dans la tradition musulmane. N'est-ce pas dans l'une de ses grottes que Mahomet eut la révélation de la Parole de Dieu et qu'il y vit la lumière divine ? Ainsi s'explique son nom de Jabal al-nūr, le « mont de Lumière ».

femme de son oncle Abbas ; sans compter quelques concubines, dont les plus célèbres sont Maria la Copte, une chrétienne envoyée par le gouverneur d'Egypte et Rayhana la Juive.

Mais ce nombre élevé, au regard même de la réglementation récemment édictée, s'explique par la recommandation d'assurer l'existence des veuves et des orphelins. Et si certaines sont séduisantes, comme Zaynab, la femme de son fils adoptif Zayd, pour laquelle il éprouve une folle passion, d'autres sont de pieuses veuves, que la mort de leur mari laissent sans ressources. A l'origine de la plupart des mariages du Prophète, on peut trouver une cause politique ou le respect de la loi du désert. Toujours est-il que, à Médine, chacune d'elles passe successivement une nuit avec lui, au nom de la stricte justice.

Exalté dans la littérature arabe, le chameau – surtout sa femelle, la *nāqa* – est le symbole de la vie. Il donne aux Bédouins le lait, la viande, la peau, la laine dont on fait les vêtements, la bouse qui, séchée, sert de combustible et, ultime recours pour ne pas mourir de soif, l'urine.

Révolutionnaire à bien des égards, la législation mise en place par le Prophète souligne qu'il est un ancien chamelier, non un agriculteur

Le Prophète de l'islām vise à déraciner les coutumes qui ne traitent pas les femmes en personnes libres et indépendantes. Cela ressort particulièrement des dispositions concernant l'héritage. Les filles héritent, même si leur part n'est que la moitié de celle des garçons. Pour bien comprendre la portée de cette disposition, il faut la replacer dans son contexte : dans une société arabe traditionnelle, rendre obligatoire l'héritage des femmes, c'est porter un coup mortel à l'organisation de la tribu. Désormais indépendantes financièrement, les femmes peuvent se marier hors du clan. Cependant, cette généreuse concession peut se révéler à terme une pratique néfaste : les agriculteurs de Médine savent que les partages successifs aboutissent vite à créer des parcelles de terre trop petites. Mais Mahomet est un chamelier de La Mecque, où les femmes ont acquis les droits de propriété et d'héritage. Des droits que les agriculteurs médinois réservent aux hommes.

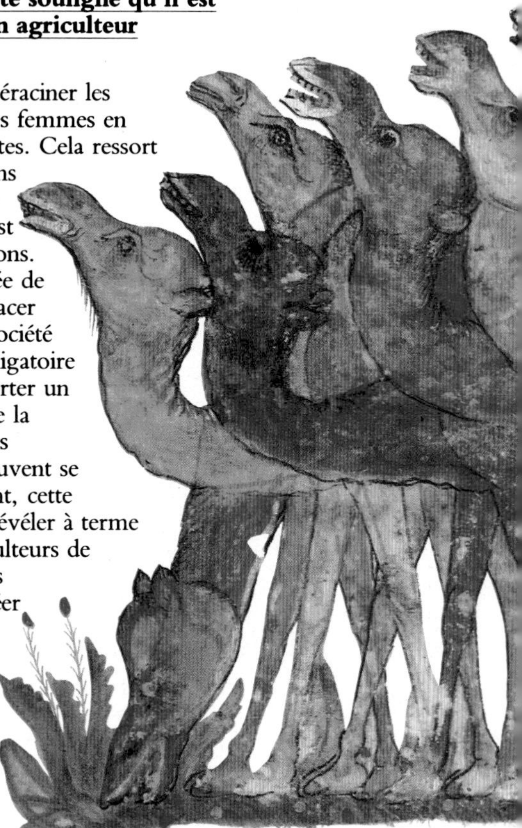

C'est peut-être également l'expérience de La Mecque, où l'argent et la pratique de l'usure avaient corrompu les mœurs, qui conduit le Prophète à être très attentif au message divin qui lui ordonne d'interdire le prêt à intérêt. A moins, tout simplement, que Mahomet n'ait eu à l'esprit les débuts de Médine, où certains avaient refusé de faire des prêts sans intérêts à la communauté nécessiteuse.

Al-Harīrī exploite, dans cette maqāma illustrée ci-dessous, toute la verve de son héros pour qu'il obtienne un magnifique troupeau de chameaux conduit par une vieille femme. Abū Zayd y parviendra, n'hésitant pas, pour cela, à revêtir l'apparence d'un docteur de la foi.

Vengeance, vol ou adultère, une réglementation s'ébauche, qui donnera naissance au futur droit musulman

Si désormais la communauté musulmane agit, comme une tribu, pour protéger ses membres, Allāh insiste sur l'observation rigoureuse d'une règle :

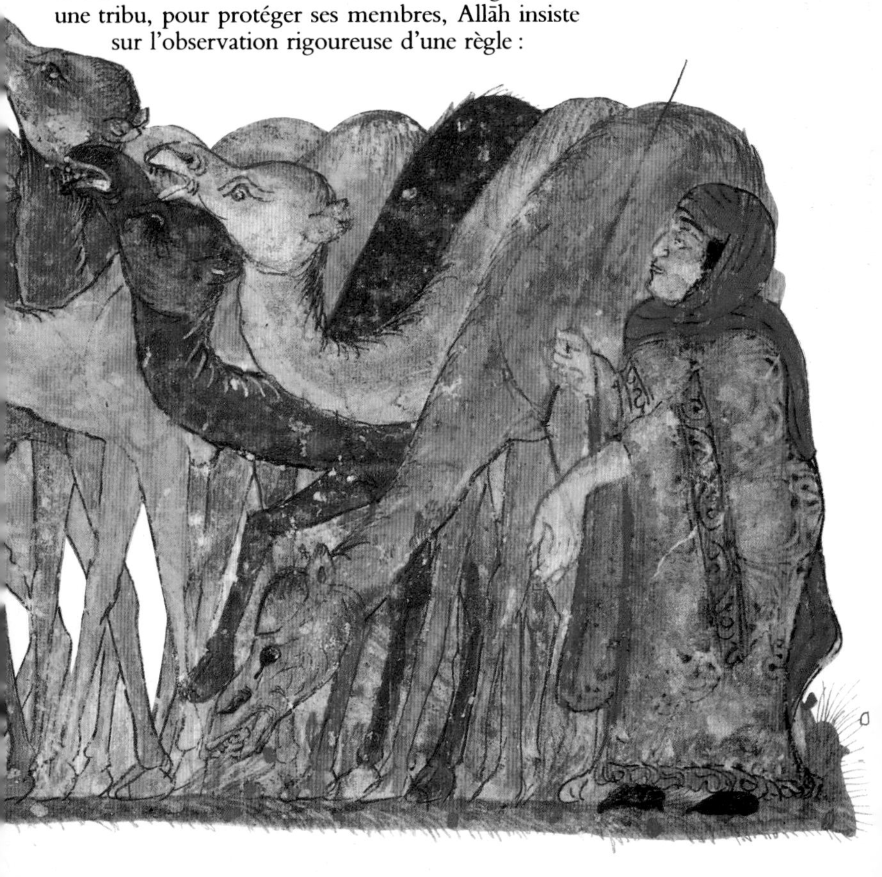

observer une juste mesure, un juste milieu. La loi du talion est permise, mais la vengeance ne doit pas ouvrir la voie à une nouvelle vengeance. Le principe de la vendetta est donc condamné, dans la mesure où il conduit à un enchaînement de vengeances sans fin. On coupe la main aux voleurs. Ainsi, le système ancien subsiste, mais on évite l'outrance. L'infanticide des filles est interdit. L'adultère, considéré comme un crime, est puni de cent coups de fouet. La peine paraît sévère, mais il faut préciser que la preuve exigée est très difficile à apporter : les présumés coupables doivent avoir été vus dans une position qui ne laisse aucune place à l'équivoque. 'Ā'icha elle-même, l'une des femmes préférées du Prophète, n'a-t-elle pas été accusée par certains, dont Ali, d'avoir eu une idylle avec un jeune chamelier ? Mais Mahomet a reçu de Dieu l'assurance de l'innocence de son épouse et la recommandation de faire appuyer les accusations d'adultère par quatre témoins.

L'accusation d'adultère se réglera devant un juge, comme en témoignent ces maqamāt du XIIIe siècle. Pour l'heure, dans l'État de Médine naissant, la vieille loi coutumière, terrible pour les femmes, est encore en vigueur. Malheur à celle qui a fauté ! Elle est lapidée... à moins qu'elle ne bénéficie de la grâce de son époux, comme Mahomet en usa pour son adorée 'Ā'icha.

Le Prophète lui-même donne l'exemple des « bonnes manières » musulmanes pour toutes les circonstances

Parallèlement à cette législation, un code des usages quotidiens se met peu à peu en place. Il concerne la nourriture, l'habillement, l'habitation, etc. Ces usages musulmans, *ādāb,* s'établissent en prenant exemple sur la façon de vivre, le comportement, la *sunna,* du Prophète.

Comment un musulman doit manger et boire : la loi islamique interdit de consommer la viande du porc et celle des animaux qui n'ont pas été préalablement saignés, de même qu'elle prohibe le vin. Mais, concernant la manière de manger et de boire, les recommandations sont multiples. Ainsi, on s'abstiendra de souffler sur la nourriture, on mangera de la main droite, on aura souvent recours au cure-dent et on évitera de manger de l'ail et de l'oignon crus lorsqu'on doit se rendre à la mosquée.

La belle Zaynab, capturée à Khaybar, avait vu mourir son père et son mari lors des combats. Elle empoisonna un plat qu'elle avait été chargée de préparer pour Mahomet. Découverte, elle soutint : « Si c'est un prophète, il en sera informé ; si c'est un roi terrestre, j'en serai débarrassée. » Magie du verbe ou beauté de l'empoisonneuse ? Mahomet lui pardonna.

On fera en sorte de ne pas se désaltérer dans les vases d'or ou d'argent et on ne boira pas non plus directement à l'outre.

Comment un musulman doit s'habiller : le turban est vivement recommandé pour les hommes. Les vêtements de soie ou de brocart sont déconseillés, au même titre que les étoffes teintes au safran. Le port des bijoux précieux leur est interdit, mais l'usage des parfums est autorisé. Le Prophète lui-même en est grand amateur. Pour les femmes, la perruque est prohibée, car la musulmane ressemblerait alors à la femme juive. Le voile, en revanche, n'est pas obligatoire. Il est seulement recommandé pour les épouses du Prophète, car elles doivent se protéger des regards indiscrets.

Comment un musulman doit concevoir son habitation : tout objet évoquant une croix, les instruments de musique et les outres de vin sont à bannir. L'usage des tapis est recommandé, et c'est bien là le seul luxe, car la rusticité est de rigueur. Les lieux d'aisances sont interdits dans la maison ; ce sont les terrains vagues de Médine qui en tiennent lieu.

Le droit médinois, du temps de Mahomet reste embryonnaire. A l'instar du droit coutumier bédouin, le Prophète arbitre, seul, les litiges. Il faudra attendre près d'un siècle pour que s'élabore un droit musulman fondé sur la séparation du judiciaire et du politique. La fonction de juges, les *cadis,* sera instituée. A la fois arbitres et notaires, leurs compétences s'étendront surtout aux questions religieuses et familiales, telles que les droits de succession et les donations au profit de fondations pieuses, les *waqfs*.

Un code de politesse, l'*ādāb,* prescrit les règles de savoir-vivre du musulman

Les relations sociales revêtent une extrême importance, car les musulmans forment une communauté. Se rendre dans les banquets nuptiaux, visiter les malades, assister aux funérailles et faire des cadeaux sont des actes dignes de louanges. C'est au plus jeune de saluer la personne plus âgée, au passant de saluer la personne assise, au petit groupe de saluer un groupe plus nombreux. Certains actes sont tolérés, d'autres proscrits. C'est ainsi que chaque éternuement doit être accompagné d'un sonore « louange à Dieu », auquel répond la formule « Dieu te soit clément ». De même, le rot de l'invité après un bon repas est signe de gratitude pour l'hôte. En revanche, bâiller est une détestable habitude provoquée par le diable. Il convient de se retenir dans la mesure du possible.
A ces pratiques quotidiennes s'ajoutent un certain nombre d'usages antérieurs à l'islām, comme la circoncision, commune aux Juifs et aux Arabes.

Deux ans après la prise de La Mecque, Mahomet conduit lui-même le pèlerinage. Il ne sait pas que c'est la dernière fois qu'il voit sa ville natale

En mars 632, Mahomet, de retour à La Mecque, accomplit prières et sacrifices, se fait, selon l'usage, tondre les cheveux et la barbe et prêche le Message. Ainsi se trouvent définitivement fixées les règles du pèlerinage. A peine les cérémonies finies, il repart à Médine... Ce pèlerinage va rester dans la mémoire des musulmans comme le *Pèlerinage de l'adieu*. Car, deux mois plus tard, le Prophète tombe malade.

Depuis quelque temps, peut-être depuis les fatigues du pèlerinage, peut-être à la suite d'une visite nocturne au cimetière sur la tombe de ses compagnons, Mahomet avait la fièvre et était la proie de violents maux de tête. Il souffrait tant qu'il lui arrivait de hurler de douleur. Pourtant le mardi 26 mai 632, il appelle Ossāna, un de ses chefs

Le *Pèlerinage à La Mecque*, de Belly, peintre orientaliste, suggère l'immensité du désert, la noblesse des hommes et la puissance de leurs montures, qui présidaient aux hādjdj du XIXe siècle.

militaires, et lui confie le commandement d'une nouvelle expédition vers les confins de l'empire byzantin. Il s'agit encore d'une razzia sur quelques bourgades de Transjordanie. Le jeudi, il lui remet l'étendard qu'il doit porter et lui transmet ses dernières instructions. Peu après, il est contraint de garder le lit. Le lundi 8 juin 632, au matin, le malade se sent mieux. Il se lève même au moment de la prière et le bruit se répand que le Prophète est guéri.

Mais dans la même journée, une fois revenu sur son lit, il se met à délirer, demande de quoi écrire un document qui préserverait ses fidèles de l'erreur. Cela jette un grand trouble chez les assistants. Faut-il se fier aux divagations d'un malade ?

Aujourd'hui encore, le pèlerinage à La Mecque est le plus grand accomplissement du musulman pieux, qu'il soit Africain, Européen ou Asiatique, d'obédience sunnite ou chī'ite. Il rassemble, du 7 au 13 de dhū-l-hīdja, le dernier mois de l'année, des milliers de pèlerins. A ce moment-là, le territoire de La Mecque et particulièrement le périmètre autour de la Kaaba sont des lieux sacrés interdits au non-musulman sous peine de mort.

Faut-il lui obéir alors qu'il n'a pas tous ses esprits ? Le tumulte est si grand qu'il renonce et leur fait signe de s'en aller. Il s'affaiblit et énonce des propos incohérents. 'Ā'icha, son épouse, le voit lever les yeux, le regard fixe, et croit l'entendre dire : « le compagnon le plus haut... ». Elle sait alors que l'ange Gabriel lui est apparu. Puis elle s'aperçoit qu'il est mort. Elle soulève sa tête, la pose sur l'oreiller et se met à crier en se frappant la poitrine et la face.

Nul ne s'attendait à une mort si soudaine

Aucune disposition n'a été prise pour l'avenir. Cela seul est troublant. Pourquoi Allāh n'a-t-il pas averti son Messager ? Comment a-t-il pu ne pas lui communiquer d'instructions pour les fidèles ? Pour les disciples, tout se disloque. Les groupes qu'avait liés la forte personnalité de Mahomet se retrouvent tout à coup isolés les uns des autres. Et la question qui se pose en cet été 632 est celle de l'avenir immédiat de l'islām. Le tout nouveau monothéisme est-il condamné, faute de successeur ?

Abū Bakr récita à la foule amassée devant la maison du Prophète défunt le verset coranique qui rappelle qu'il n'était qu'un homme parmi les hommes : « Mahomet n'est qu'un apôtre. Avant lui, les autres apôtres sont passés. Eh quoi ! S'il meurt ou s'il est tué, retournerez-vous sur vos pas ? »

Si la vie de Mahomet est terminée, la gloire du Prophète d'Allāh ne fait que commencer. Quand meurt Muhammad ibn 'Abd Allāh, pas plus l'Empire byzantin que l'Empire perse ou le Pays franc ne connaissent son nom. Nul ne peut imaginer que les disciples du Prophète bâtiront un jour, par l'épée et par le Coran, l'empire le plus puissant et le plus influent du Moyen Âge.

CHAPITRE VII

L'ISLĀM APRÈS MAHOMET

Au lendemain de sa mort, les pèlerins se pressent en masse sur la tombe du Prophète, érigée dans sa propre maison. A l'endroit même sera édifiée la grande mosquée de Médine quelque soixante-dix ans plus tard. Aujourd'hui encore, le pèlerin n'omet jamais de s'y recueillir.

Lorsqu'en 611, à La Mecque, Mahomet fils de 'Abd Allāh de la tribu des Quraychites, laissait échapper de sa bouche des phrases étranges, dont le rythme ressemblait fort aux vers que récitent les poètes du désert, les rudes Bédouins qui l'écoutaient étaient plongés dans la stupéfaction. Mais, très vite, ceux qui avaient été touchés par le Message avaient pris soin de noter les révélations d'Allāh à Mahomet, utilisant ce qu'ils avaient sous la main – fragments de cuir, feuilles de palmiers, omoplates de chameaux ou pierres plates – et écrivant avec un mince roseau taillé en pointe, trempé dans de la sève colorée. Ainsi, après la mort de Mahomet, on trouva, rassembla et ordonna cent quatorze chapitres, appelés *sourates*, que Sa'īd ibn Thabit, qui fut pendant de longues années le secrétaire du Prophète, rédigea tout au long de sa vie. Le résultat de cette grande œuvre fut le Coran. Cependant, il faudra attendre près de vingt ans après la mort de Mahomet pour en avoir une version définitive. Ce sera un des successeurs du Prophète, son gendre 'Uthmān, devenu calife, qui en prendra l'initiative.

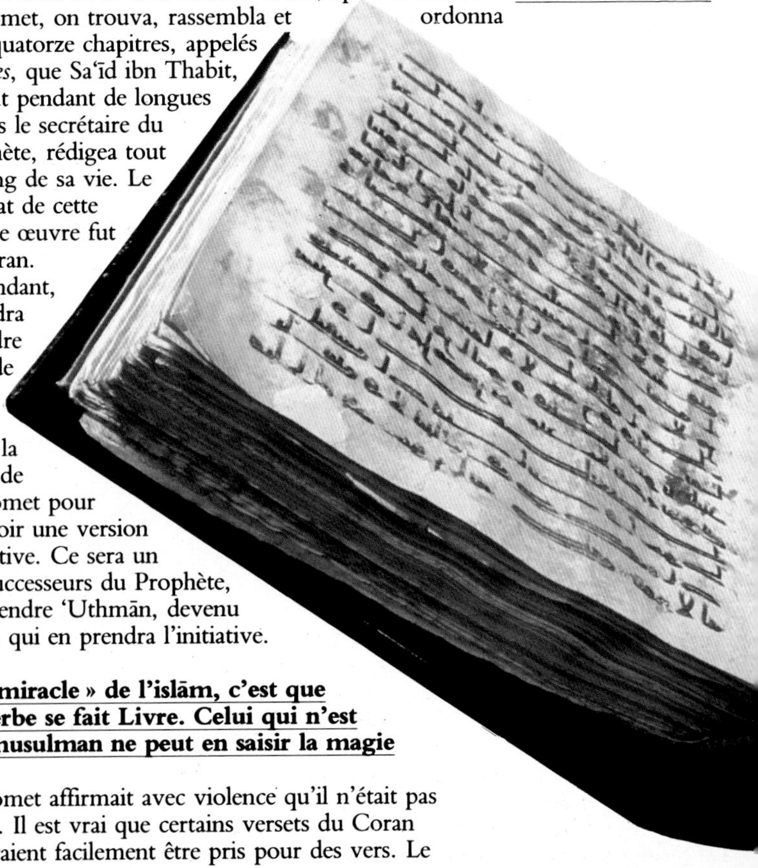

'Uthmān, le troisième calife de l'Islām, de 644 à 656, successeur de Omar, entreprit l'établissement du Coran. La tâche fut immense. Il lui fallut réunir les fragments éparpillés du Message conservés sur les supports les plus divers. Il s'y consacra avec succès tout au long de son règne.

Le « miracle » de l'islām, c'est que le Verbe se fait Livre. Celui qui n'est pas musulman ne peut en saisir la magie

Mahomet affirmait avec violence qu'il n'était pas poète. Il est vrai que certains versets du Coran pourraient facilement être pris pour des vers. Le balancement cadencé des phrases, l'abondance des rimes, l'alternance de syllabes brèves et longues produit sur l'esprit de celui qui écoute un effet d'envoûtement. Là précisément est le miracle, qui fait que la parole de Dieu est inimitable et inoubliable. Aussi, très vite, la parole divine sera apprise par cœur par le croyant, puisqu'elle est destinée à le guider du berceau à la tombe. Le Coran sera en effet présent à tous les moments de son existence, de l'enfance à la vieillesse, dans l'appel du muezzin du haut du minaret de la mosquée de Médine, dans les salutations des vieux Bédouins assis à l'ombre fraîche de l'oasis, dans les cérémonies familiales où Mahomet est souvent invité. Rien ne saurait donc l'effacer, et

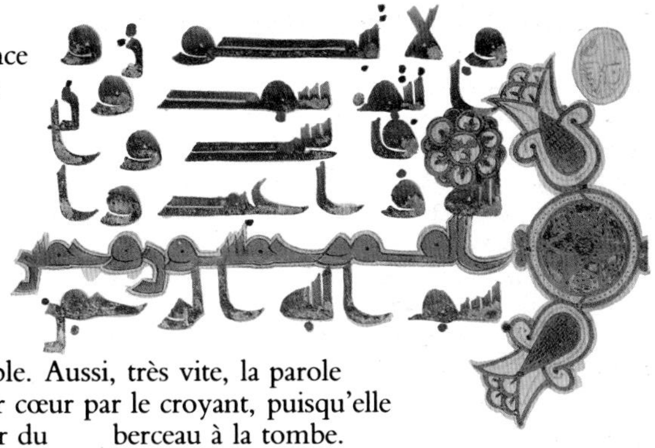

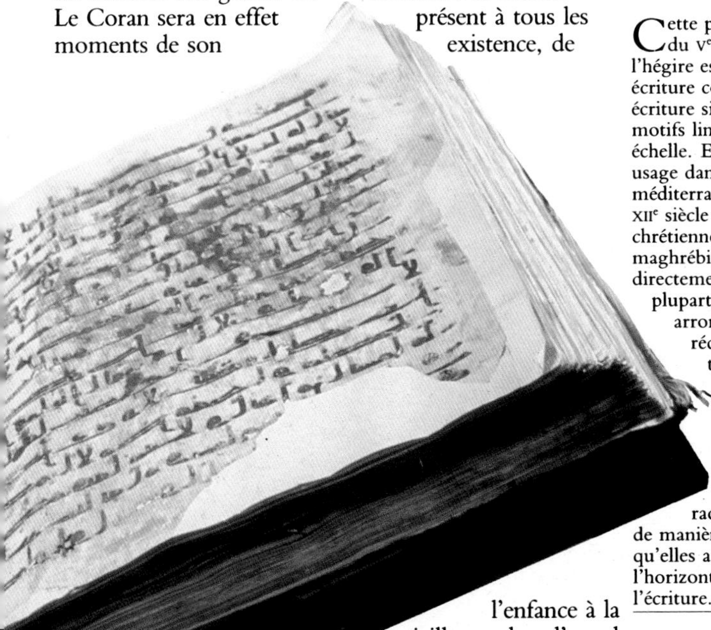

Cette page du Coran du Ve siècle de l'hégire est rédigée en écriture coufique : une écriture simplifiée aux motifs linéaires en échelle. Elle fut en usage dans le bassin méditerranéen jusqu'au XIIe siècle de l'ère chrétienne et le style maghrébin en dérive directement. La plupart des lettres arrondies ont été réduites de telle sorte que seules quelques-unes ressortent, et les verticales raccourcies de manière à ce qu'elles atténuent l'horizontalité de l'écriture.

أُولَٰئِكَ عَلَىٰ هُدًى مِّن رَّبِّهِمْ ۖ وَأُولَٰئِكَ هُمُ الْمُفْلِحُونَ ۞ إِنَّ الَّذِينَ
كَفَرُوا سَوَاءٌ عَلَيْهِمْ أَأَنذَرْتَهُمْ أَمْ لَمْ تُنذِرْهُمْ لَا يُؤْمِنُونَ
خَتَمَ اللَّهُ عَلَىٰ قُلُوبِهِمْ وَعَلَىٰ سَمْعِهِمْ ۖ وَعَلَىٰ أَبْصَارِهِمْ غِشَاوَةٌ ۖ
وَلَهُمْ عَذَابٌ عَظِيمٌ ۞ وَمِنَ النَّاسِ مَن يَقُولُ آمَنَّا بِاللَّهِ وَبِالْيَوْمِ
الْآخِرِ وَمَا هُم بِمُؤْمِنِينَ ۞ يُخَادِعُونَ اللَّهَ وَالَّذِينَ آمَنُوا وَمَا
يَخْدَعُونَ إِلَّا أَنفُسَهُمْ وَمَا يَشْعُرُونَ ۞ فِي قُلُوبِهِم مَّرَضٌ فَزَادَهُمُ اللَّهُ
مَرَضًا ۖ وَلَهُمْ عَذَابٌ أَلِيمٌ بِمَا كَانُوا يَكْذِبُونَ ۞ وَإِذَا قِيلَ
لَهُمْ لَا تُفْسِدُوا فِي الْأَرْضِ قَالُوا إِنَّمَا نَحْنُ مُصْلِحُونَ ۞ أَلَا إِنَّهُمْ
هُمُ الْمُفْسِدُونَ وَلَٰكِن لَّا يَشْعُرُونَ ۞ وَإِذَا قِيلَ لَهُمْ آمِنُوا كَمَا

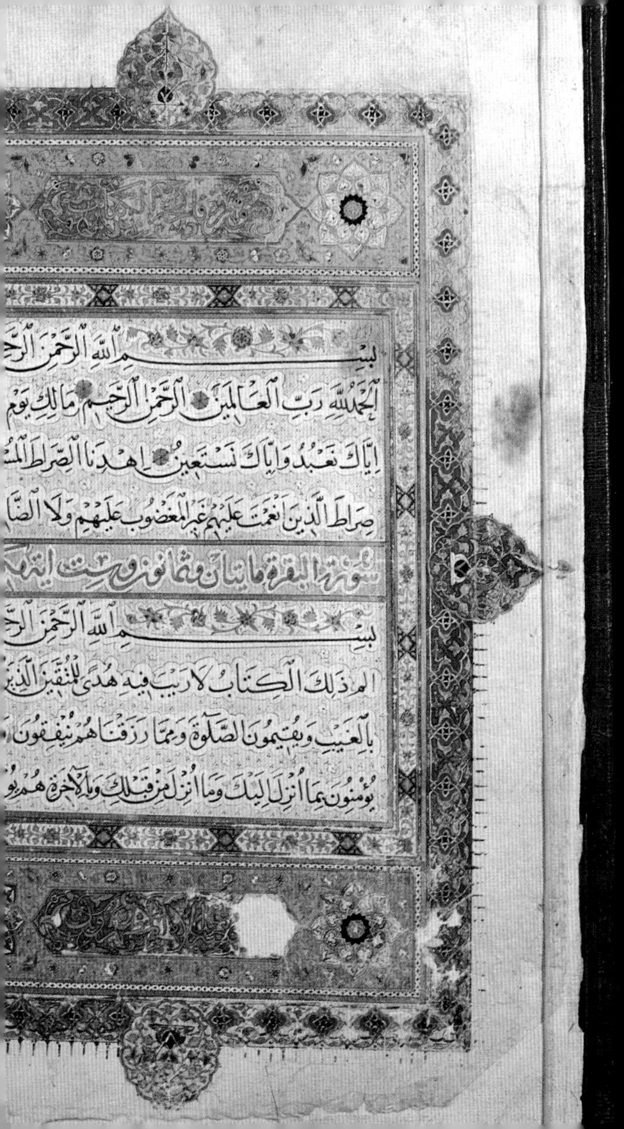

Ce Coran, manuscrit égyptien du XVIe siècle, est un des maillons de la longue chaîne de la transcription de la Parole d'Allāh commencée avec 'Uthmān. On sait que la complexité de la chronologie des révélations retransmises par le Prophète l'amena à choisir un ordre fondé sur la longueur des sourates. Ainsi « La vache », la plus longue – elle compte 286 versets –, suit-elle la Fātiha, dont le nom vient du verbe *fataha*, « ouvrir ». « La vache » débute la série des 24 sourates médinoises qui contiennent plus d'un tiers des 6 243 versets, les *āyāt*. Les sourates mecquoises, plus brèves, réparties par les exégètes en trois périodes, sont empreintes d'un style poétique passionné. Quand certaines āyāt de l'époque médinoise occupent dix à douze lignes du Coran, d'autres, de l'époque mecquoise, se réduisent parfois à huit ou dix syllabes.

La lettre sonore

Qu'il s'agisse de ce mirhab portatif (ci-contre), de cette plaque (ci-dessous) ou de cette céramique de la mosquée de Piyale datant du XVIe siècle (à gauche), l'harmonie de la graphie et de l'arabesque est éclatante. L'arabe, dit la tradition musulmane, est la langue de Dieu ; son écriture et son alphabet sont d'essence divine. Mêlées aux arabesques, les lettres deviennent elles-mêmes poésie. La tradition est longue – des premiers secrétaires de Mahomet aux copistes de Bagdad, de Constantinople et de Grenade – de ceux qui, traçant le nom de Dieu, jouèrent à merveille des mille possibilités d'étendre ou de condenser les vingt-sept lettres de l'alphabet et enluminèrent leurs pages de ses accents et signes diacritiques. Ils ont ainsi porté l'écriture au rang d'un art, la calligraphie.

c'est lui qui forge cette « mentalité », qui est le signe de reconnaissance des musulmans.

La magie vient de ce qu'on ne lit pas le Coran, mais qu'on le récite. La récitation coranique est un art, comme l'art du chanteur. Elle crée une impression profonde. Une récitation parfaite parvient à ébranler les cœurs les plus durs : les yeux des auditeurs s'emplissent alors de larmes, chaque pose est ponctuée de l'exclamation « yā Rabbī, yā Allāh », « ô Seigneur, ô Dieu », particulièrement appréciée du récitant.

Il est d'autant plus difficile au profane de pénétrer dans le Coran que les chapitres sont classés d'après leur longueur et non d'après la date où ils ont été révélés à Mahomet. Ainsi les plus longs sont au début et les plus courts à la fin, alors qu'en réalité ce sont les chapitres de la fin qui ont été révélés en premier à Mahomet, lorsqu'il se trouvait à La Mecque, révolté par l'injustice, désespéré par l'indifférence des marchands.

La vocation de l'islām est de faire prier côte à côte des races et des peuples différents : Arabes, Iraniens, Turcs, Indiens, Kurdes, Mongols, Coptes, Andalous, Africains, Slaves, Indonésiens, Berbères, Chinois. Tous prient, tournés vers la Mecque. L'*adān*, l'appel public à la prière – *Allāh akbar*, « Dieu est grand » – rappelle cinq fois par jour au croyant que Dieu est universel et qu'il l'invite à se tourner vers lui.

Dans les sourates mecquoises, Dieu compatit aux tribulations du Prophète de La Mecque. Dans les sourates médinoises, Dieu inspire le chef d'Etat de Médine

Parmi les cent quatorze sourates, la première revêt une importance particulière. C'est la *Fātiha*, encore appelée « sourate de l'ouverture » ou « Liminaire ». Brève, en forme de prière, elle est fréquemment répétée par les musulmans, qui, en général, la savent par cœur. Elle peut être traduite ainsi : « Au nom d'Allāh, le Bienfaiteur miséricordieux, Louange à Allāh, Seigneur des Mondes, Bienfaiteur miséricordieux, Souverain du Jour du Jugement ! C'est Toi que nous adorons, Toi dont nous demandons l'aide ! Conduis-nous dans la Voie droite, La Voie de ceux à qui Tu as donné Tes Bienfaits, qui ne sont ni l'objet de Ton courroux, ni les Egarés. Amen. » Les sourates suivantes ne suivent aucun ordre, ni logique, ni chronologique. Afin de pallier cet inconvénient, les exégètes musulmans proposent un classement en deux parties : les sourates mecquoises et les sourates médinoises.

Les sourates mecquoises peuvent être divisées en trois périodes. La première correspond aux quatre premières années de l'activité prophétique de

Mahomet à La Mecque. Il y parle du Jugement dernier comme d'un jour redoutable. La deuxième concerne les cinquième et sixième années de la prédication. Les sourates s'intitulent : « Noé », « Les prophètes », « Marie »... La troisième de la septième à la dixième année, donne lieu à plusieurs récits concernant la vie des prophètes Abraham, Joseph, Jonas...

Les sourates médinoises s'adressent aux différentes forces en présence, musulmane, juive et chrétienne. Elles jettent les bases d'une loi religieuse, la *charī'a*. Mahomet se présente comme un chef politique : le style poétique des premières révélations fait place à un ton plus pesant, plus juridique. Les témoignages des compagnons de Mahomet furent par la suite réunis pour constituer ce qu'on a appelé les *hadīths*, fragments de récits concernant le Prophète. L'ensemble constitue la *sunna*, que l'on pourrait traduire par « l'imitation de Mahomet ».

L'enseignement élémentaire, en pays musulman, se fonde sur le Coran. Le Prophète n'a-t-il pas dit : « Celui qui abandonne son foyer pour se mettre en quête du savoir suit la Voie de Dieu... L'encre du savant est plus sacrée que le sang du martyr. » Dès l'enfance, le Coran constitue le support d'un apprentissage à la fois linguistique, historique, juridique et religieux. Créées au IXe siècle, les écoles coraniques « pour l'éducation des enfants », les *kuttāb*, eurent pour objectif d'enseigner par cœur le Coran aux jeunes élèves. Ils y apprennent toujours à lire à haute voix et dans un parfait ensemble le Livre saint.

Mahomet disparu, le récit de sa vie est devenu un testament pour tous les croyants. C'est sa victoire sur la mort. Mais la question de sa succession reste entière

Deux jours seulement après la mort de Mahomet, une faille s'est ouverte dans le bloc de la communauté : Omar et Abū Bakr pensent qu'eux seuls peuvent assurer la continuité de l'islām. Ali, au contraire, père des deux petits-fils du Prophète, réclame la succession comme parent de la famille du fondateur. C'est finalement Abū Bakr qui est désigné pour succéder à Mahomet, parce qu'il est jugé le plus digne de gouverner. Il prend le titre de *khalīfa*, le successeur, qui a donné en français « calife ».

Il règnera seulement deux ans, de 632 à 634, mais il consolidera les bases qui menaçaient de s'effondrer. Quant à Ali, les cinq années de son califat troublé, de 656 à 661, seront à l'origine des grands clivages qui divisent aujourd'hui encore la communauté islamique : ses partisans, les *chī'ites*, s'opposeront désormais aux nombreux autres musulmans, les *sunnites*.

Il aura suffi de vingt ans au modeste chamelier Muhammad ibn 'Abd Allāh pour insuffler au peuple d'Arabie une foi nouvelle. Vingt ans de combats pour jeter les bases d'une religion qui touche à l'universel. Alors, devant le succès foudroyant du message de l'islām, les traits du Bédouin de la tribu des Quraychites tendent à s'effacer. Reste une figure de légende : celle de Mahomet, Prophète d'Allāh.

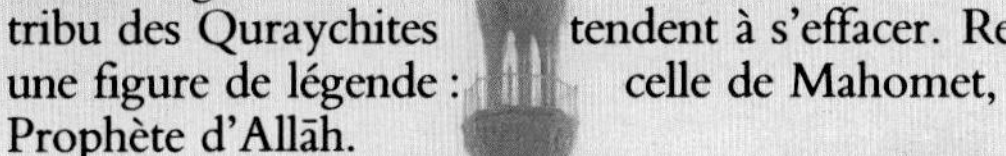

TÉMOIGNAGES ET DOCUMENTS

837 308 000 musulmans
pratiquent l'islam.
La deuxième religion du monde
possède ses dogmes, ses rites, ses lois.
Son puissant héritage culturel
a pour corollaire des interdits aigus,
des dissidences, des excès.

Le Coran

Le Coran a été prêché dans un contexte bien précis, celui de l'Arabie au VIIe siècle de notre ère. Aussi une lecture historique, pratiquée surtout par des chercheurs occidentaux, permet-elle de voir dans le Coran les traces des combats spirituels ou matériels menés par Mahomet tout au long de sa prédication. Articulé en 114 chapitres (ou sourates), eux-mêmes divisés en versets (ou ayât), le Coran couvre deux périodes de la vie du Prophète : période de la Mecque, période de Médine. Un style lyrique, de courts chapitres caractérisent la première. Un style plus juridique, des chapitres plus longs sont l'apanage de la seconde.

Sourates mecquoises

Les sourates de la fin du Coran, les plus courtes, sont les sourates les plus anciennes. Elles ont généralement été révélées à La Mecque, alors que Mahomet est entouré par le scepticisme des marchands et parfois même la haine de ses proches comme Aboû-Lahab, son oncle (sourate 111). Le ton est lyrique, proche de la poésie [sourates le Soleil (91), la Nuit (92), la Clarté diurne (93)]. Le dogme reste simple [sourate le Culte (112)].

Détail d'un Coran du XIVe siècle.

Au nom d'Allah, le Bienfaiteur miséricordieux.
Par la nuit quand elle s'étend !
par le jour quand il brille !
par Ce qui a créé le Mâle et la Femelle !
en vérité, les résultats de votre effort sont divergents.
Celui qui donne, [*qui*] est pieux

Pages du Coran : première et deuxième sourates.

et déclare vraie la Très Belle [*Récompense*],
à celui-là Nous faciliterons [*l'accès*] à Aise Suprême.
Celui qui est avare, empli de suffisance
et traite de mensonge la Très Belle [*Récompense*],
à celui-là Nous faciliterons [*l'accès*] à la Gêne Suprême
et à rien ne lui servira sa fortune, quand il ira à l'abîme.
Sur Nous [*pèse*] certes, la Direction [*des Hommes*] !
A nous appartient certes, la [*Vie*] Dernière et Première !
Je vous ai donc avertis d'un Feu qui flamboie,
qu'affronte seul le Très Impie
qui crie au Mensonge et se détourne,
[*mais*] dont est éloigné le Très Pieux
qui donne sur son bien [*pour*] se purifier,
qui n'accorde à personne un bienfait appelant récompense,
[*mais agit*] seulement pour rechercher la face de son Seigneur très Auguste.
Certes, celui-là sera satisfait !

Sourate XCII
la Nuit (Al-Layl)
versets 1 à 21

Au nom d'Allah, le Bienfaiteur miséricordieux.
Par le Soleil et sa clarté !
par la Lune quand elle le suit !
par le Jour quand il le fait briller !
par la Nuit quand elle le couvre !
par le Ciel et Ce qui l'a édifié !
par la Terre et Ce qui l'a étendue !

par l'Ame (*nafs*) et Ce qui l'a formée harmonieusement
et lui a inspiré son libertinage et sa piété !
heureux sera celui qui aura purifié cette âme !
Malheureux sera celui qui l'aura abaissée !
Les Thamoud ont crié au mensonge, par rébellion,
quand se dressa leur Très Impie
et l'Apôtre d'Allah leur dit : « [*Ne touchez ni à*] la Chamelle d'Allah, [*ni à*] son lait ! »
Les Thamoud le traitèrent d'imposteur
et sacrifièrent la Chamelle.
Leur seigneur les maudit pour leur péché et les anéantit,
sans craindre la suite de leur disparition.

Sourate XCI
le Soleil (Ach-Chams)
versets 1 à 15

Au nom d'Allah, le Bienfaiteur miséricordieux.
Par la Clarté diurne !
Par la Nuit quand elle règne !,
ton Seigneur ne t'a ni abandonné ni haï.
Certes la [*Vie*] dernière sera meilleure pour toi que la [*Vie*] Première !
Certes ton Seigneur te donnera et tu seras satisfait !
Ne te trouva-t-Il point orphelin si bien qu'Il [*te*] donna un refuge ?
Ne te trouva-t-Il point égaré si bien qu'Il [*te*] guida ?
Ne te trouva-t-Il point pauvre si bien qu'Il [*t'*]enrichit ?
L'orphelin, ne [*le*] brime donc pas !
Le mendiant, ne [*le*] repousse donc pas !
Du bienfait de ton Seigneur, parle [*à autrui*] !

Sourate XCIII
la Clarté (Al-Duhâ)
versets 1 à 11

Vue de Médine.

Au nom d'Allah, le Bienfaiteur miséricordieux.
Les mains d'Aboû-Lahab ont péri ! Il a péri !
Ses troupeaux et sa fortune ne lui ont servi à rien.
Il sera exposé à un feu ardent,
tandis que sa femme, portant du bois,
aura au cou une corde de fibres.

Sourate CXI
la Corde (Al-Masad)
versets 1 à 5

Au nom d'Allah, le Bienfaiteur miséricordieux.

Dis : « Il est Allah, Unique.
Allah le Seul.
Il n'a pas engendré et n'a pas été engendré.
N'est égal à Lui personne. »

Sourate CXII
le Culte (Al-Ikhlâs)
versets 1 à 4

Sourates médinoises

Les sourates du début du Coran sont les sourates du Prophète à Médine. La cohabitation avec les juifs et le contact avec des chrétiens posent des problèmes à la jeune communauté musulmane. Le Prophète reçoit de Dieu des révélations sociales et bien entendu le problème de la femme.

[Dispositions touchant les relations sociales et la bienséance des femmes]

Ô vous qui croyez ! n'entrez point dans les demeures autres que vos demeures, avant de vous faire admettre et d'avoir salué ceux qui les occupent ! C'est un bien pour vous. Peut-être vous amenderez-vous.

Si vous n'y trouvez personne, n'y entrez point avant d'y être autorisés ! Et si l'on vous dit : « Retirez-vous ! », alors retirez-vous ! Cela sera plus décent pour vous. Allah, de ce que vous faites, est omniscient.

Il n'est pas de grief à vous faire d'entrer dans des demeures inhabitées où se trouve un objet vous appartenant. Allah sait ce que vous divulguez et ce que vous celez.

Dis aux Croyants qu'ils baissent leurs regards et soient chastes. Ce sera plus décent pour eux. Allah est bien informé de ce qu'ils font.

Dis aux Croyantes de baisser leurs regards, d'être chastes, de ne montrer de leurs atours que ce qui en paraît. Qu'elles rabattent leurs voiles sur leurs gorges ! Qu'elles montrent seulement leurs atours à leurs époux, ou à leurs pères, ou aux pères de leurs époux, ou à leurs fils, ou aux fils de leurs sœurs, ou à leurs femmes, ou à leurs esclaves, ou à leurs serviteurs mâles que n'habite pas le désir [*charnel*], ou aux garçons qui ne sont pas [*encore*] au fait de la conformation des femmes. Que [les Croyantes] ne frappent point [*le sol*] de leurs pieds pour montrer les atours qu'elles cachent ! Revenez tous à Allah, ô Croyants ! Peut-être serez-vous bienheureux.

Sourate XXIV
la Lumière (An-Nûr)
versets 27 à 32

[Dispositions et interdictions touchant le mariage]

Ô vous qui croyez ! il n'est pas licite à vous de recevoir [*vos*] femmes par héritage, contre leur gré, ni de les mettre en difficulté [*de se remarier*] pour subtiliser une partie de ce que vous leur avez donné, à moins qu'elles ne commettent une turpitude déclarée. Usez-en avec elles de la manière reconnue [*convenable*]. Si vous avez une aversion pour elles, il est possible que vous ayez aversion pour une chose en laquelle Allah met un grand bien.

Si vous voulez changer une épouse pour une autre et [*si*] vous avez donné à l'une de [*ces épouses*] un *quintâr*, ne retenez rien de celui-ci [*, lors du divorce*] ! Pourriez-vous retenir cela [*, commettant ainsi*] infamie *(buhtân)* et péché avéré !

Sourate IV
les Femmes (An-Nisâ)
versets 23 à 25

Jésus apparaissant au minaret de la mosquée de Damas dit « de Jésus ».

[Dispositions concernant la fornication]

A l'encontre de celles de vos femmes qui commettent la turpitude requérez témoignage de quatre d'entre vous ! Si ceux-ci témoignent [*de la chose*], retenez [ces femmes] dans [*vos*] demeures jusqu'à ce que la mort les rappelle [*au Seigneur*] ou qu'Allah leur donne un moyen.

Celui et celle qui, parmi vous, commettent [la Turpitude], sévissez contre eux ! S'ils reviennent [*de leur faute*] et [*se*] réforment, détournez-vous d'eux ! Allah est révocateur et miséricordieux.

Revenir [*de Sa rigueur*] n'appartient qu'à Allah, pour ceux qui font le mal par ignorance, puis qui reviennent sur leur faute, tout aussitôt. Envers ceux-là, Allah revient [*de Sa rigueur*]. Allah est omniscient et sage.

La rémission n'existe point pour ceux qui font de mauvaises actions jusqu'à ce qu'enfin, la mort se présentant à l'un d'eux, il s'écrie : « Je reviens [*de mes fautes*], maintenant ». Elle n'existe pas [*non plus*] pour ceux qui meurent étant infidèles. Pour ceux-là, Nous avons préparé un Tourment cruel.

Sourate IV
les Femmes (An-Nisâ)
versets 23 à 25

[Les Croyants] t'interrogent sur la menstruation. Réponds[*-leur*] : « C'est un mal. Tenez-vous à l'écart des femmes, durant la menstruation, et ne vous approchez point d'elles avant qu'elles ne soient pures. Quand elles se seront purifiées, venez à elles comme Allah vous [*l'*]a ordonné ! Allah aime ceux qui viennent à résipiscence et ceux qui se purifient. »

Vos femmes sont un [*champ de*] labour pour vous. Venez à votre [*champ de*] labour, comme vous voulez, et œuvrez pour vous-mêmes à l'avance ! Soyez pieux envers Allah et sachez que vous Le rencontrerez ! [*Prophète !*] fais gracieuse annonce aux Croyants.

Sourate II
la Vache (Al-Baqara)
versets 222 et 223

Les femmes sous le coup d'une répudiation attendront elles-mêmes trois flux menstruels [*avant remariage*] ; il ne leur sera point licite de celer ce qu'Allah a créé dans leur sein, si elle se trouvent croire en Allah et au Dernier Jour. Leurs époux ont plein droit de les reprendre, en ce temps, s'ils désirent établir la concorde [*aslaha*]. [Les épouses] ont pour elles [*des droits*] semblables à ce qui leur incombe [*envers leurs époux*], en ce qui est reconnu [*convenable*] ; les hommes ont cependant sur elles une prééminence. Allah est puissant et sage.

Sourate II
la Vache (Al-Baqara)
verset 228

*C'est l'Annonce faite à Marie par les Anges qu'elle concevra un prophète : (isa Jésus) Jésus est pour les musulmans un très grand prophète*Et [*rappelle*] quand les Anges dirent : « O Marie !, Allah t'a choisie et purifiée. Il t'a choisie sur [*toute*] les femmes de ce monde.

O Marie !, sois en oraison devant ton Seigneur ! Prosterne-toi et incline-toi avec ceux qui s'inclinent ! »

Ceci fait partie des récits (*'anbâ'*) de l'Inconnaissable que Nous te révélons car tu n'étais point parmi eux [*Prophète !*], quand ils jetaient leurs calames [*pour savoir*] qui d'entre eux se chargerait de Marie ; tu n'étais point parmi eux quand ils se disputaient.

[*Rappelle*] quand les Anges dirent : « O Marie !, Allah t'annonce un Verbe [*émanant*] de Lui, dont le nom est le Messie, Jésus fils de Marie, [*qui sera*] illustre dans la [*Vie*] Immédiate et Dernière et parmi les Proches [*du Seigneur*].

Il parlera aux Hommes, au berceau, comme un vieillard, et il sera parmi les Saints. » — « Seigneur ! », répondit [*Marie*], « comment aurais-je un enfant alors que nul mortel ne m'a touchée ? » — « Ainsi », répondit-Il (*sic*), « Allah crée ce qu'Il veut. Quand Il décrète une affaire, Il dit seulement à son propos : « Sois ! » et elle est. »

[Allah] lui enseignera l'Écriture, la Sagesse, la Thora et l'Évangile.

... Et [*j'ai été envoyé*] comme Apôtre aux Fils d'Israël, disant : « Je viens à vous avec un signe de votre Seigneur. Je vais, pour vous, créer d'argile une manière d'oiseaux ; j'y insufflerai [*la vie*] et ce seront des oiseaux, avec la permission d'Allah. Je guérirai le muet et le lépreux. Je ferai revivre les morts, avec la permission d'Allah. Je vous aviserai de ce que vous mangez et de ce que vous amassez dans vos demeures. En vérité, en cela, est certes un signe pour vous, si vous êtes croyants.

[*Je vous suis envoyé*] déclarant véridique ce qui a été donné avant moi, de la Thora, afin de déclarer pour vous licite une partie de ce qui avait été pour vous déclaré illicite. Je suis venu à vous avec un signe de votre Seigneur. Soyez pieux envers Allah et obéissez-moi ! Allah est mon Seigneur et votre Seigneur. Adorez-Le donc ! C'est une voie droite. »

Quand Jésus sentit l'incrédulité [chez les Fils d'Israël,] il s'écria : « Qui sont mes auxiliaires (*'ansâr*) dans la voie d'Allah ? » Les Apôtres (*Hawâriyyûma*) répondirent : « Nous sommes les auxiliaires d'Allah. Nous croyons en Allah. Atteste que nous *lui* sommes soumis (*muslim*) !

Seigneur !, nous croyons à ce que Tu as fait descendre. Nous suivons l'Apôtre. Inscris-nous parmi ceux qui témoignent ! »

[Les Fils d'Israël] machinèrent [*contre Jésus, mais*] Allah machina [*contre eux*] et Il est le meilleur de ceux qui machinent.

[*Rappelle*] quand Allah dit : « O Jésus !, je vais te rappeler (*tawaffä*) [*à Moi*], t'élever vers Moi, te purifier [*de la souillure*] de ceux qui sont incrédules et, jusqu'au Jour de la Résurrection, mettre ceux qui t'ont suivi au-dessus de ceux qui ont été incrédules. Ensuite, vers Moi, sera votre retour et Je déciderai, entre vous [*tous*], sur ce sur quoi vous vous opposiez.

Ceux qui auront été incrédules, Je les tourmenterai d'une manière terrible, en la [*Vie*] Immédiate et Dernière, et ils n'auront pas d'auxiliaires.

Ceux, au contraire, qui auront accompli des œuvres pies, Je leur donnerai leur exacte rétribution. Allah n'aime point Injustes. »

[*Prophète !,*] Nous te communiquons cela , [*tiré*] des *aya* et de la sage Édification.

Sourate III
la Famille de Imrân (Al-Imrân)
versets 37 à 51

[Les rapports avec les Juifs et les Chrétiens : interdiction aux Croyants musulmans de pactiser avec les Juifs et les Chrétiens]

Ô vous qui croyez ! Ne prenez point les Juifs et les Chrétiens comme affiliés : ils sont affiliés les uns avec les autres. Quiconque, parmi vous, les prendra comme affiliés sera des leurs. Allah ne conduit point le peuple des Injustes.

Tu vois ceux au cœur de qui est un mal se précipiter vers eux en disant : « Nous redoutons qu'un coup du sort ne nous frappe. » Peut-être Allah apportera-t-Il le Succès ou quelque ordre [*émanant]* de Lui, en sorte que [ces gens] se trouveront regretter ce qu'ils auront caché en leur âme et [en sorte que] ceux qui croient diront : « Sont-ce là ceux qui, par Allah, en leurs serments solennels, juraient qu'ils étaient certes avec vous ? Vaines sont leurs actions ! Ils se trouvent être perdants ! »

Ô vous qui croyez ! Quiconque parmi vous rejette sa religion... Allah amènera un peuple qu'Il aimera et qui L'aimera, humble à l'égard des Croyants, altier à l'égard des Infidèles, qui mènera combat dans le Chemin d'Allah et n'aura à craindre le blâme de personne. Voilà la faveur d'Allah. Il l'accorde à qui Il veut. Allah est large et omniscient.

Votre patron [*et vos alliés*] sont seulement Allah, Son Apôtre et ceux qui accomplissent la Prière, [*qui*] donnent l'Aumône (*zakât*) et [*qui*] s'inclinent.

Quiconque prend pour patron [*et alliés*] Allah, Son Apôtre et ceux qui croient... car la Faction d'Allah forme les Vainqueurs.

Ô vous qui croyez ! Ne prenez point comme affiliés ceux qui ont pris votre Religion en raillerie et comme jeu, parmi ceux à qui l'Écriture a été donnée antérieurement et [*parmi*] les Infidèles ! Soyez pieux, envers Allah, si vous êtes croyants !

Quand vous appelez à la Prière, ils prennent celle-ci en raillerie et comme jeu. Ils sont en effet un peuple qui ne raisonne point.

Sourate V
la Table servie (Al-Mâ'ida)
versets 56 à 63

[Contre les Juifs médinois]

Certes Allah a fait alliance avec les fils d'Israël. D'entre eux Nous avons fait surgir douze chefs. Et Allah a dit : « Je suis avec vous. Si vous accomplissez la Prière et donnez l'Aumône (*zakât*), [*si*] vous croyez en Mes Apôtres et les assistez, [*si*] vous faites un beau prêt à Allah, J'effacerai certes pour vous vos mauvaises actions et vous ferai entrer en des Jardins sous lesquels couleront les ruisseaux. Quiconque, après cela, sera impie parmi vous, se trouvera égaré loin du Chemin Uni. »

C'est pour avoir rompu leur alliance [*avec Nous*] que Nous les avons maudits. Durs, Nous avons fait leurs cœurs. Ils détournent le Discours de ses sens et ils ont oublié une partie de ce qui leur a été envoyé comme Édification. Tu ne cesseras [*, Prophète !,*] d'éventer quelque trahison de leur part, sauf d'un petit nombre d'entre eux. Efface [*leur faute*] et pardonne ! Allah aime les Bienfaisants.

Sourate V
la Table servie (Al-Mâ'ida)
versets 56 à 63

[Contre les Chrétiens et les Juifs]

De ceux qui disent : « Nous sommes Chrétiens », Nous avons reçu alliance. [*Toutefois*] ils ont oublié une partie de ce par quoi ils ont été édifiés et Nous avons excité entre eux l'hostilité et la haine pour jusqu'au Jour de la Résurrection. [*Alors*] Allah les avisera de ce qu'ils se trouvaient accomplir.

Ô Détenteurs de l'Écriture ! Notre Apôtre est venu à vous, vous exposant une grande partie de l'Écriture que vous cachiez et effaçant [*aussi*] une grande partie de celle-ci. D'Allah vous sont venues une Lumière et une Écriture explicite par laquelle Allah dirige ceux qui visent Sa satisfaction, dans les Chemins du Salut, et [*par laquelle*], avec Sa permission, Il les fait sortir des Ténèbres vers la Lumière et les dirige vers une Voie Droite.

Infidèles ont été certes ceux qui ont dit : « Allah est le Messie, fils de Marie. » Réponds[*-leur*] : « Qui donc peut en rien répondre d'Allah, s'Il veut faire périr le Messie, fils de Marie, ainsi que sa mère et tous ceux qui sont sur la terre ? » À Allah la royauté des cieux et de la terre et de ce qui est entre eux. Il crée ce qu'Il veut, et sur toute chose, Il est omnipotent.

Les Juifs et les Chrétiens ont dit : « Nous sommes les fils et les aimés d'Allah. » Demande[*-leur*] : « Pourquoi donc vous torture-t-Il pour vos péchés ? Non, vous êtes de [*simples*] mortels [*du nombre*] de ceux qu'Il a créés. » Il pardonne à qui Il veut et Il torture qui Il veut ! À Allah la royauté des cieux et de la terre et de ce qui est entre eux. Vers Lui sera le « Devenir ».

Sourate V
la Table servie (Al-Mâ'ida)
versets 15 à 21

Jésus emmené par les anges.

La Sunna ou « authentique tradition musulmane »

La Sunna (authentique tradition musulmane formée de l'ensemble des traditions ou récits oraux fragmentés appelés hadîths) constitue une véritable « Imitation du Prophète ». C'est en effet l'ensemble des « dicts », des comportements de Mahomet, des façons qu'il avait de manger, de boire, de se vêtir, de s'acquitter de ses devoirs religieux, de traiter les Croyants et les Infidèles. La Sunna éclaire le Coran et inspire le comportement quotidien du croyant musulman, aujourd'hui comme hier.

Le Sahîh d'el-Bokhâri est de loin le plus estimé parmi les recueils de traditions tenues pour authentiques et c'est de cet ouvrage que l'on a extrait un choix de ces récits que sont les hadîths. On y trouve un tout indifférencié dans lequel on peut distinguer du rituel, du droit, de la morale, des bons usages... Mais cette distinction et classification est l'œuvre des Européens qui ont traduit le texte (Houdas, Bercher).

Personnalité du Prophète

Aïcha a dit : « Lorsque le Prophète fut immobilisé, il demanda à ses épouses la permission d'être soigné pendant sa maladie dans mon appartement. Elles le lui permirent. Le Prophète y mourut et c'était le jour où j'avais à le recevoir ; il mourut reposant entre mon flanc et

Prière dans le désert.

ma poitrine et Dieu réunit sa salive à la mienne. En effet, 'Abd-er-Rah'mân entra, tenant un *miswâk* (sorte de brosse ou cure-dents) ; comme le Prophète était trop faible pour en faire usage, l'ayant pris et mâché, je le passai sur ses dents. »

57-4 (2)

Aïcha disait : « Une des faveurs que Dieu m'a accordées, c'est d'avoir fait que l'Envoyé de Dieu (à lui bénédiction et salut) soit mort dans mon appartement, au jour qu'il me consacrait, et (la tête) entre mon épaule et mon menton. En outre, Dieu a permis que ma salive et celle du Prophète fussent mélangées lors de sa mort. En effet, 'Abd-er-Rah'mân était entré dans ma chambre en tenant à la main un *souâk* (miswâk) pendant que je soutenais le Très Saint Envoyé. En voyant qu'il regardait ce *souâk*, je compris que le Prophète le désirait : "Veux-tu, lui dis-je, que je te le donne ?" D'un geste de la tête, il me fit signe que oui. Je le lui remis, et comme il souffrait beaucoup, je demandai s'il voulait que je le lui mâchonnasse. De la tête, il me fit signe de le mâchonner. Et je le fis. Il y avait devant lui une outre. Il se mit à y tremper les mains et se les passait ensuite sur le visage, en disant : "Il n'y a d'autre divinité que Dieu ; la mort a ses affres." Enfin il leva la main et se mit à dire : "Avec le compagnon le plus élevé" ; puis il rendit le dernier soupir en laissant tomber sa main. »

64-83 (17)

Aïcha a dit : « Le Prophète (à lui bénédiction et salut) se levait dès qu'il entendait le chant du coq. »

81-18 (1)

Selon Anas ben Mâlek, l'Envoyé de Dieu (à lui bénédiction et salut) n'était ni excessivement grand, ni pourtant petit ; ni blanc mat de teint, ni rougeâtre ; sa chevelure n'était ni très crépue, ni tout à fait lisse, elle lui descendait jusqu'au milieu des oreilles et des épaules. Il a ajouté : « Ses mains et ses pieds étaient forts et je n'ai jamais vu leur semblable, ni avant, ni après. Il avait la main large. »

77-68 (1, 5 et 7)

H'oumaïd a dit : « Je n'ai jamais touché de la bourre de soie, ou de la soie, plus douce que n'était la main du Prophète (à lui bénédiction et salut). Je n'ai jamais flairé de musc, ni d'ambre exhalant un parfum plus délicieux que l'odeur du Très Saint Prophète. »

30-53 (3)

El-Barâ a dit : « Je n'ai vu personne d'aussi beau que le Prophète (à lui bénédiction et salut), lorsqu'il portait sa tunique rouge. »

77-68 (2)

Aboû Horeïra a dit : « Le Prophète (à lui bénédiction et salut) avait les mains et les pieds forts. Son visage était beau : depuis je n'en ai jamais vu de pareil. »

« Qui me voit en songe, voit la réalité, car le diable ne prend jamais mes traits. »

91-10 (5)

La morale

El-Barâ Ben 'Azib a dit : « L'Envoyé de Dieu (à lui bénédiction et salut) nous a ordonné sept choses et nous en a interdit sept autres. Il nous a ordonné :

de visiter le malade, de suivre les convois funèbres, de dire : "Dieu vous bénisse" à qui éternue, de répondre favorablement à qui vous invite, de saluer publiquement les gens, de venir en aide à l'opprimé, et de bien s'acquitter de son serment. Il nous a interdit : de porter un anneau à cacheter en or, de boire dans un vase d'argent, de se servir de couvertures pour rembourrer les selles, et de l'étoffe qassî, de revêtir des habits de soie, de brocart et de satin (*istabraq*). »

74-28 (3)

Le meilleur Islam consiste à donner à manger (à ceux qui ont faim) et à donner le salut à ceux que l'on connaît et aussi à ceux que l'on ne connaît pas.

2-6 (Houdas : 2-5)

Aucun de vous ne devient véritablement croyant s'il ne désire pour son frère, ce qu'il désire pour lui-même.

2-7 (Houdas : 2-6)

Trois choses, lorsqu'on les possède, font savourer la douceur de la foi : d'abord aimer Dieu et Son Envoyé (à lui bénédiction et salut) plus que tous les autres êtres ; en second lieu, si l'on aime quelqu'un, de l'aimer seulement en vue de Dieu ; enfin de redouter de retourner à l'idolâtrie dont Dieu vous a retirés, comme on redoute d'être précipité dans le Feu.

2-14 (Houdas : 2-13)

Aïcha a rapporté que le Prophète (à lui bénédiction et salut) ne laissait dans sa maison aucune chose portant une croix, mais il la détruisait.

77-90

Aïcha a dit : « Le Prophète (à lui bénédiction et salut) aimait donner la préséance à la droite : en matière de pureté rituelle, pour descendre de monture et pour se chausser. »

8-47

Lorsque l'un de vous boit, qu'il ne souffle pas dans le vase. Lorsqu'il se rend aux latrines, qu'il ne se touche pas la verge de la main droite et qu'il ne se torche pas de la main droite.

4-18

La fit'ra (*exige*) cinq (*choses*) : la circoncision, l'épilation du pubis, l'épilation des aisselles, la taille des moustaches, le fait de se rogner les ongles.

79-51

Le rituel

Aïcha a dit : « Le Prophète (à lui bénédiction et salut) s'appuyait sur mon giron, bien que j'eusse mes menstrues et ensuite il récitait le Coran. Je démêlais les cheveux de l'Envoyé de Dieu (à lui bénédiction et salut), bien que j'eusse mes menstrues. »

6-3

Abdalllah ben 'Omar a dit : « Pendant que le Prophète (à lui bénédiction et salut) faisait la Prière, il aperçut, dans la qibla de la mosquée, de la morve qu'il gratta avec sa main. Puis se mettant en colère, il dit : — Certes, quand l'un de vous est en Prière, Dieu a Sa face tournée vers vous. Ne vous mouchez donc pas en face de Dieu, durant la Prière. »

78-75 (3)

Aboû Horeïra dit qu'il a entendu l'Envoyé de Dieu (à lui bénédiction et salut) dire : « Si une rivière passait devant la porte de l'un de vous, et s'il s'y lavait chaque jour cinq fois, pensez-vous qu'après cela, il serait encore souillé de quelque ordure ? — Non, lui répondit-on, il n'en resterait rien. — Il en est de même, reprit-il, des cinq Prières (journalières obligatoires). C'est par elles que Dieu efface les péchés. »

9-6

Qui néglige l'heure de la Prière de l'après-midi perd le fruit de ses œuvres.

9-15

La Prière accomplie en assemblée est supérieure de vingt-cinq degrés à celle faite isolément.

10-30

Aïcha a dit : « J'interrogeai le Prophète (à lui bénédiction et salut) au sujet de celui qui se retourne durant sa Prière. Il répondit : — C'est un larcin que Satan arrache à la Prière de l'intéressé. »

59-11 (23)

Ibn 'Omar disait : « Au début de leur arrivée à Médine, les Musulmans se réunissaient et s'indiquaient entre eux le moment de la Prière sans qu'on les y appelât. Un jour, comme on s'entretenait de ce sujet, un des fidèles dit : — Servez-vous d'une crécelle pareille à la crécelle des Chrétiens. — Non, dit un autre, employez une trompette pareille à la corne dont les Juifs font usage. — Pourquoi, demanda 'Omar, ne chargeriez-vous pas un homme d'entre vous de faire l'appel à la Prière ? Là-dessus, l'Envoyé de Dieu (à lui bénédiction et salut) dit à Bilâl (son esclave nègre) : — Ô Bilâl, lève-toi et appelle à la Prière. »

10-1

Si les fidèles savaient tout ce qu'il y a (de mérites) à faire l'appel à la Prière et à occuper le premier rang (à la Prière) et qu'ils ne trouvassent pas d'autres moyens pour y arriver que le tirage au sort, certes ils tireraient au sort. S'ils savaient le mérite qu'ils y a à prier de bonne heure, ils se hâteraient d'y accourir. Et enfin, s'ils savaient tout ce qu'il y a (de mérites) dans la Prière du soir et celle du matin, ils y accourraient, fussent-ils obligés de se traîner à quatre pattes.

10-9

Quand vous entendez l'appel à la Prière, répétez ce que dira la muezzin.

10-7

Lorsqu'on vous appelle à la Prière, Satan, tournant le dos, lâche un pet, afin de ne pas entendre cet appel.

22-6

Par celui Qui tient ma vie entre Ses mains, j'ai songé parfois à donner l'ordre d'apporter du bois à brûler, puis, quand il serait là, d'enjoindre de faire procéder à l'appel à la Prière et de désigner quelqu'un pour la diriger, afin de pouvoir retourner sur mes pas et de mettre le feu aux habitations des gens (qui ne sont pas allés à la Prière). Par Celui Qui tient ma vie entre Ses mains, si l'un de ces gens-là savait y trouver quelque os gras ou deux beaux pieds de mouton, il n'aurait garde de manquer à la Prière du soir.

10-29

Egalisez bien vos rangées (dans la Prière en assemblée), car être bien en rang fait partie du bon accomplissement de la Prière.

10-74

Celui qui préside à la Prière en assemblée (l'imâm) doit être bref, car il a derrière lui des gens faibles, malades ou âgés.

10-62

Certes, quand j'entame la Prière (en assemblée), mon désir est de faire la Prière lentement, mais si j'entends un enfant pleurer, j'accélère ma Prière, parce que je sais la peine extrême que sa mère éprouve en entendant ses pleurs.

10-65

Ne craint-il pas celui de vous qui relève la tête avant l'imâm, que Dieu change sa tête en une tête d'âne, ou son corps en un corps d'âne ?

10-53

Droit musulman, rite malékite

Alors que pour les chrétiens les Evangiles et le droit canonique sont deux choses bien distinctes, pour les musulmans le Coran et le droit musulman sont étroitement liés. C'est cette sorte de traité (moitié traité de droit moitié catéchisme) qu'Ibn Abî Zayd al-Qayraawânî a voulu établir au IVe siècle de l'hégire (Xe siècle de l'ère chrétienne) avec sa célèbre Risala ou « Epître sur les éléments du dogme et de la loi de l'Islam selon le rite malékite ».

Par rite ou école malékite, il faut entendre l'école juridique fondée par Mâlik ibn Anas, à Kairouan qui, à cette époque, brille d'un vif éclat dans le monde islamique. L'école juridico-religieuse malékite est toujours en vigueur au Maghreb actuellement.

Le jeûne du Ramadan

Le jeûne du mois du Ramadan est une prescription à caractère d'obligation divine. On commence le jeûne à la vue de la nouvelle lune (de Ramadan) et on le rompt à la vue de la nouvelle lune (de Chawwâl), que le mois soit de trente ou de vingt-neuf jours. Si le croissant est caché par des nuages, on compte trente jours à partir du premier du mois précédent, puis on jeûne et l'on fait de même pour la rupture du jeûne.

Le fidèle devra nourrir en son cœur l'intention de jeûner dès la première nuit de Ramadan ; mais cette intention n'est pas requise pour le reste du mois. Le jeûne sera poursuivi jusqu'à la nuit. La tradition veut que l'on fasse diligence pour rompre le jeûne et que l'on prenne le repas nocturne dit *sah'oûr* le plus tard possible. Quand on a des doutes sur le lever du jour, il faut s'abstenir de manger. On ne doit pas jeûner le jour du doute et ce, à titre de précaution, pour éviter de l'englober par erreur dans le mois de Ramadan. Jeûner ce jour-là n'est pas valable, même s'il se trouve qu'il fait partie du mois de Ramadan. Cependant, on peut le faire, à titre purement bénévole.

Celui qui, au matin de ce jour de doute, ne mange ni ne boit et qui acquiert ensuite la certitude que ledit jour fait partie du mois de Ramadan, n'aura pas accompli un jeûne valable. Il devra s'abstenir de manger pendant tout le reste de la journée et jeûner pendant un autre jour à titre compensatoire.

Quand un voyageur arrive de voyage, non à jeun, ou quand la femme ayant ses menstrues recouvre l'état de pureté légale durant la journée, l'un et l'autre pourront manger pendant le reste du jour.

Celui qui, jeûnant bénévolement, rompt intentionnellement ce jeûne, ou entreprend un voyage en cet état et rompt son jeûne en raison de ce voyage, est tenu d'un jour de jeûne à titre compensatoire. Mais, s'il a rompu le jeûne par simple oubli, il n'est tenu d'aucune compensation. Au contraire, quand il s'agit d'un jour de jeûne obligatoire et qu'il l'a rompu dans ces conditions, il est tenu de le compenser.

L'usage du cure-dents est permis pour le jeûneur durant toute la journée. Il n'est pas blâmable qu'il se fasse poser des ventouses (ou tirer du sang) à moins qu'on ne craigne que cela ne provoque une grande faiblesse. Celui qui est pris de vomissements en Ramadan, n'est pas tenu d'un jeûne compensatoire. Mais, s'il cherche lui-même à se faire vomir et qu'il y parvienne, il est tenu d'une compensation.

Si la femme enceinte a des craintes pour (la vie de) l'enfant qu'elle a dans son sein, elle rompra le jeûne et ne sera pas tenue de fournir (à un pauvre) la nourriture (expiatoire d'usage). Selon une autre opinion, elle doit fournir cette nourriture. La femme qui allaite son enfant, si elle craint pour la santé de celui-ci et ne trouve point de remplaçante salariée, ou si le nourrisson n'accepte d'être allaité que par elle, aura la faculté de rompre le jeûne, avec obligation de fournir la susdite nourriture (à un pauvre).

Il est recommandé au vieillard très avancé en âge, quand il rompt le jeûne, de fournir ladite nourriture. Celle-ci consiste dans tous ces cas en un *mudd* (de céréales) pour chaque jour de jeûne à compenser.

De même cette nourriture devra être fournie par celui qui a négligé de compenser le jeûne d'un Ramadan précédent et qui se laisse ainsi surprendre par la venue du Ramadan suivant.

Les impubères ne sont pas tenus du jeûne, tant que le garçon n'a pas de pollutions nocturnes et que la fille n'a pas ses règles. C'est la puberté qui entraîne pour eux l'obligation d'accomplir les actes religieux corporels. Allah Très Haut a dit : « Quand les enfants parmi vous ont atteint la puberté qu'ils demandent la permission d'entrer » (Coran, Sourate 24, verset 58).

Quand l'homme se trouve au matin en état d'impureté légale et quand il ne s'est pas purifié, ou quand la femme ayant eu ses menstrues est redevenue en état de pureté légale avant l'aurore et que l'homme comme la femme n'ont procédé au lavage qu'après l'aube, l'un et l'autre jeûneront valablement ce jour-là.

Il n'est pas permis de jeûner le jour de la fête de la rupture du jeûne, ni le jour des Sacrifices (de l'*'Aïd al-Kabîr*). On ne jeûnera pas non plus les deux jours qui suivent celui des Sacrifices. Exception est faite pour le *mutamatti'* qui ne trouve point d'animal à sacrifier. Le quatrième jour de l'*'Aïd al-Kabîr* ne doit pas être jeûné par le jeûneur bénévole, mais il sera jeûné par celui qui en a fait vœu ou par celui qui se trouve dans une période de jeûne continu (compensatoire) commencée avant ce jour.

Celui qui, par oubli, rompt le

jeûne un jour de Ramadan est tenu de la compensation seulement. De même pour celui qui le rompt par nécessité, pour cause de maladie.

Celui qui fait un voyage dans les conditions où les prières peuvent être abrégées, peut rompre le jeûne même s'il n'y est pas contraint par la nécessité. Il est alors tenu de la compensation. Mais en ce cas, nous, Malékites, nous préférons qu'il jeûne.

Celui qui fait un voyage d'une distance de moins de quatre *barîd*-s et qui s'imagine qu'il a licence de rompre le jeûne et le rompt effectivement, n'est pas tenu de l'expiation *kaffâra* et doit seulement la compensation. Quiconque rompt le jeûne par suite d'une interprétation fausse (des textes sacrés) n'est pas tenu de l'expiation. Celle-ci n'est due que par celui qui rompt sciemment le jeûne, en mangeant ou en buvant ou en coïtant, et il est alors tenu aussi bien de la compensation que de l'expiation. L'expiation, en ce cas, consiste à nourrir soixante pauvres, à raison d'un *mudd* (de céréales) de la valeur du *mudd*

MAROC -

du Prophète (faveurs et bénédictions divines sur lui) pour chaque pauvre. C'est là le mode d'expiation qui est préférable selon nous, Malékites. Mais il peut aussi expier en affranchissant un esclave ou en jeûnant deux mois de suite.

Celui qui a un évanouissement pendant la nuit et qui reprend ses sens après le lever du jour, doit compenser le jeûne, mais, il ne fait à titre compensatoire que les prières au moment légal desquelles il a repris connaissance.

Il convient que le jeûneur tienne sa langue et surveille ses gestes et qu'il rende au mois de Ramadan les honneurs qu'Allah lui a lui-même rendus (dans son Saint Livre). Le jeûneur n'approchera pas les femmes, par le coït, ni par l'attouchement, ni par le baiser donné en vue de la jouissance, et ce, pendant toute la journée du Ramadan. Mais rien de cela ne lui est interdit pendant les nuits du Ramadan.

Il n'y a pas d'inconvénient à ce que le fidèle soit, au matin, en état d'impureté par suite de coït. Quiconque, pendant une journée de Ramadan, a éprouvé une jouissance par suite d'attouchement ou de baiser et a eu une émission de liquide prostatique à cause de cela, est tenu du jeûne compensatoire. S'il a fait ces actes de propos délibéré, au point d'avoir une émission spermatique, il est tenu (en outre) de l'expiation.

Celui qui accomplit les pieuses pratiques de Ramadan avec foi en comptant sur la récompense divine, ses péchés (véniels) antérieurs lui seront remis. Si, en Ramadan, on fait des récitations coraniques dans la mesure du possible, on est en droit d'en attendre du mérite (auprès d'Allah) et l'expiation de ses péchés. On accomplit les pieuses pratiques du Ramadan dans les mosquées publiques et sous la direction d'un Imâm. Mais, si l'on veut, on peut s'y livrer chez soi et cela est mieux pour celui dont le ferme propos se fortifie dans la solitude. Les vertueux Compagnons se livraient aux dites pratiques de Ramadan dans les mosquées en faisant vingt *rak'a*-s dont les deux premières étaient séparées de la troisième par une formule de salut. Puis, les successeurs desdits Compagnons firent, à cette occasion, trente-six *rak'a*-s, sans compter le groupe impair et le groupe pair. Mais

UJDA - Fête du Ramadou.

pour tout cela, les fidèles ont toute latitude. Après chaque groupe de deux *rak'a*-s, on doit prononcer le salut.

Aïcha, qu'Allah soit satisfait d'elle, a dit : « L'Envoyé d'Allah (faveurs et bénédictions divines sur lui) n'a jamais fait, en Ramadan, ou en un autre temps, plus de douze *rak'a*-s suivies du groupe impair (de trois *rak'a*-s). »

Risala
ou Epître sur les éléments du dogme
et de la loi de l'Islam
selon le rite malékite,
chapitre « Jeûne », (Siyâm)
traduction de Léon Bercher

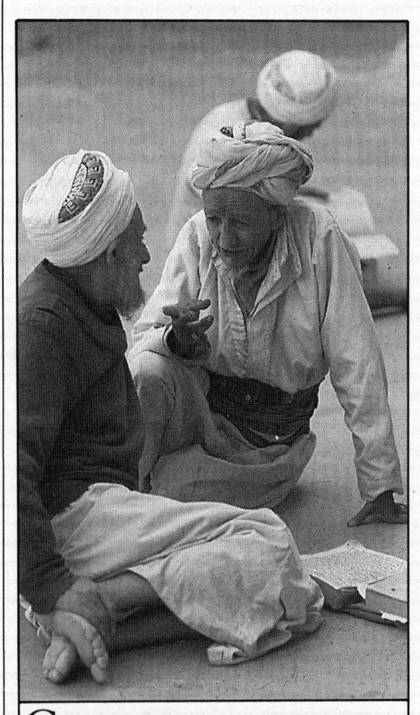

Cadis religieux à la mosquée, Yémen, Arabie.

Le Jihad, littéralement l'« effort » pour le règne de Dieu, souvent considéré par les auteurs comme le « sixième pilier de l'islam », est la participation par excellence à l'œuvre communautaire, à la lutte armée pour la défense de l'islam.

Le Jihad, la guerre sainte

Le *Jihad* est une obligation d'institution divine. Son accomplissement par certains en dispense les autres. Pour nous, Malékites, il est préférable de ne pas commencer les hostilités avec l'ennemi avant de l'avoir appelé à embrasser la religion d'Allah, à moins que l'ennemi en prenne d'abord l'offensive. De deux choses l'une : ou bien ils se convertiront à l'islamisme, ou bien ils paieront la capitation (*jizya*), sinon, on leur fera la guerre. La *jizya* n'est acceptée d'eux que s'ils se trouvent sur un territoire où nos lois puissent s'appliquer. S'ils sont hors de notre atteinte, on n'acceptera d'eux la *jizya* que s'ils se rendent sur notre territoire. Sinon, on leur fera la guerre.

Fuir devant l'ennemi est un péché mortel, si ses effectifs sont du double ou moins du double du nombre des combattants musulmans. Mais si l'ennemi a des forces supérieures au double des nôtres, il n'y a pas d'inconvénient à prendre la fuite.

On doit combattre l'ennemi sans chercher à savoir si l'on combattra sous les ordres d'un chef pieux ou dépravé.

Il n'y a pas d'inconvénient à tuer les prisonniers de race blanche non arabe qu'on aura faits. Mais nul ne devra être tué après avoir eu l'*amân* (sauvegarde). On ne devra pas violer les engagements pris à leur égard. On ne tuera pas les femmes, ni les impubères. On évitera de tuer les moines et les rabbins, à moins qu'ils n'aient été combattants. La femme, elle aussi, sera mise à mort si elle a participé au combat. L'*amân* accordé par le plus humble des musulmans doit être considéré comme valable par les autres. La femme et l'impubère peuvent également donner l'*amân* quand ils en comprennent la portée. Mais, selon une autre opinion, cela n'est valable que si l'Imam le ratifie.

Du butin fait par les musulmans à la suite d'opérations de guerre, l'Imam prélèvera le quint et partagera les quatre autres cinquièmes entre les membres de l'armée. Ce partage se fera de préférence en territoire ennemi.

On ne divise par cinq pour le répartir que le butin fait dans des incursions effectuées avec des éléments montés ou dans des combats. Il n'y a pas de mal, pour le combattant qui en sent la nécessité, à consommer, avant le partage, la nourriture des hommes et des montures. On n'attribue de part de butin qu'à ceux qui ont participé au combat ou qui ont été retenus par des occupations dans l'intérêt du *Jihad* des musulmans. Le malade et le cheval devenu boiteux (ou malade) à la suite des opérations de guerre ont aussi leurs parts. On attribue deux parts au cheval et une au cavalier. Aucune part n'est attribuée à l'esclave, ni à la femme, ni à l'impubère à moins que ce dernier ne soit en état de porter les armes et ait été agréé par l'Imam et ait participé au combat. De même, ne reçoit aucune part le serviteur à gages (d'un combattant), à moins qu'il n'ait lui-même combattu.

L'ennemi qui se convertit à l'islam, alors qu'il est détenteur de biens ayant appartenu à des musulmans, les conservera licitement. Quand les musulmans (en territoire ennemi) auront acheté quelque bien de ce genre à un ennemi, le propriétaire musulman initial ne pourra le reprendre qu'en en payant le prix. Quand des biens du même genre auront été intégrés dans des parts du butin, le propriétaire musulman initial ne pourra les recouvrer qu'en remboursant le prix à l'acheteur précédent. Mais quand ces biens n'ont pas été intégrés dans les parts de butin, le propriétaire musulman initial a le droit de les récupérer sans en rembourser le prix.

Aucune attribution supplémentaire ne sera faite si elle n'est prélevée sur le quint et elle est laissée à l'appréciation de l'Imam. Elle ne pourra avoir lieu avant le partage. Les armes, les vêtements et les chevaux des ennemis tués (*salab*) font partie de l'attribution supplémentaire (et soumis aux règles de celle-ci).

Servir dans la garde des villes-frontières (*ribât'*) comporte un grand mérite et ce mérite est d'autant plus grand que les habitants de ces villes sont plus exposés au danger et ont plus de vigilance à exercer à l'égard des entreprises de l'ennemi. Le fils ne participera pas à une incursion à main armée sans le consentement de ses deux parents, à moins que l'ennemi n'attaque une ville par surprise. En ce cas, les habitants ont l'obligation stricte de le repousser et alors on ne demande pas le consentement des parents.

Risala
ou Epître sur les éléments du dogme et de la loi de l'Islam selon le rite malékite,
chapitre « La guerre sainte » (Jihad),
traduction de Léon Bercher

Le pèlerinage à La Mecque

Le cinquième devoir religieux que l'islam impose d'accomplir une fois dans sa vie est le pèlerinage à La Mecque, ville sainte des musulmans (hajj). Le nombre des pèlerins ne cesse de croître : 50 000 en 1935, 400 000 en 1969, et vraisemblablement 3 000 000 à la fin des années 80 !

La Mecque est la ville natale du Prophète (il y est né en 570) et s'il est mort en 632 à Médine où se trouve son tombeau, c'est à La Mecque que se trouve la Kaaba. « La première maison bâtie par les hommes » est une sorte de cube (15 mètres de haut, 12 mètres de large), recouvert de brocart noir brodé de calligraphies d'or, réputé exister depuis les débuts du monde. Après le déluge, Abraham reçut de Dieu l'ordre de la rebâtir et l'archange Gabriel lui procura la Pierre noire qui est enchâssée à l'angle sud-est, à 1,50 mètre du sol (blanche à l'origine, elle s'est noircie des péchés des hommes). La maison d'Abraham *(Maquam Saidna Ibrahim)* se trouve à dix mètres de la Pierre noire.

Le pèlerinage constitue une phase capitale dans la vie du croyant : les paroles du Prophète sont explicites

là-dessus : « Celui qui entreprend les rites du pèlerinage correctement et ne commet pas d'obscénités sera aussi pur qu'un nouveau-né. » Le dhu-Hijja, ou mois sacré du pèlerinage, est le douzième mois de l'année hégirienne – année lunaire de 354 à 355 jours, elle a 10 ou 11 jours de moins que l'année du calendrier solaire, ce qui explique que les fêtes et le pèlerinage se trouvent chaque année décalés de quelques jours – et le pèlerinage proprement dit se déroule précisément entre le 8 et le 13 de ce mois. Outre ce grand pèlerinage, il y a le pèlerinage de bien moindre importance *(oumra)* qui peut être fait tout au long de l'année, mais il ne confère pas le titre envié de *hajj*.

Conditions d'admission

L'entrée dans le périmètre sacré de La Mecque est strictement interdit aux non-musulmans, et pour les musulmans les conditions de participation au pèlerinage sont en principe les suivantes : être pubère, être en possession de sa raison, avoir les moyens financiers du voyage et ne laisser en suspens aucun différend avec autrui.

Par ailleurs, le pèlerin doit s'acquitter d'un certain nombre de taxes et redevances : frais de formalité et de débarquement, soit 377 réals saoudiens (860 francs français) en 1982 ; redevances au *mutawiff* (guide) ; redevances aux compagnies de transport, soit 295 réals (550 francs). Dès son arrivée, le pèlerin doit désigner le nom d'un *mutawiff*, le guide dont il dépendra tout le long de son séjour, écrire le nom du *mutawiff* lisiblement sur son passeport et faire apposer le cachet émanant des autorités.

Caravane à La Mecque.

Les taxes et redevances ne couvrent pas les frais d'hébergement. Ils sont variables selon qu'à La Mecque le pèlerin est logé à l'hôtel (il y a fort peu d'hôtels dans cette ville, 800 chambres seulement, et leur prix est très élevé : 1 000 à 1 500 francs par jour), logé par le *mutawiff*, ou encore abrité comme jadis dans une des seize mosquées de la ville sainte. Ces dernières années, chaque *mutawiff* a la responsabilité de 4 000 pèlerins environ qui lui versent redevances et loyers pour l'hébergement : 1 500 à 2 000 francs en moyenne pour être logés parfois à une dizaine par chambre.

Le point de départ de tous les pèlerins est Jeddah, à 72 kilomètres de La Mecque. C'est d'abord à Médine (447 kilomètres au nord de La Mecque) que se rendent la plupart des pèlerins pour se recueillir près du tombeau du Prophète. C'est au cours de ce premier rite, et surtout avant de franchir le périmètre sacré qui entoure La Mecque, que le pèlerin doit être en état de sacralisation *(ihram)* : il se dépouille de tout habit cousu et revêt deux morceaux de tissu blanc ; il se purifie par de fréquentes ablutions et répète la prière dite *talbya* (« me voici ô Dieu »).

Rites et cérémonies

Après avoir quitté Médine, le pèlerin se prépare à franchir les stèles qui marquent le périmètre sacré interdit aux non-musulmans qui entourent les lieux saints (le périmètre est un losange dont la diagonale mesure environ 10 kilomètres de long et la Grande Mosquée se trouve au centre).

Le pèlerin se retrouve dans la

mosquée aux sept minarets, hauts de 90 mètres. Cette mosquée a été agrandie pour augmenter sa capacité de réception. La superficie qui était de 29 127 mètres carrés est passée à 160 618 mètres carrés après les travaux d'agrandissement. Des rues de 30 mètres de large ont été ouvertes autour de la mosquée. Un deuxième étage de 8 000 mètres carrés a été construit, six places publiques ont été aménagées autour de la mosquée qui compte, après agrandissement, 64 portes et différents accès. Avec ses deux étages, elle peut maintenant accueillir environ 500 000 pèlerins en même temps.

Après être parvenu à se purifier par une série d'ablutions, le pèlerin commence le premier rite du pèlerinage et un des plus importants : la circumambulation, le *tawaf*. Il s'agit de tourner sept fois autour de la Kaaba, dans le sens contraire des aiguilles d'une montre, les trois premiers tours étant accomplis à une allure assez rapide et les quatre autres plus lentement. Le *tawaf* s'achève à l'angle du sanctuaire où est enchâssée la Pierre noire. En principe, il faut baiser la Pierre noire à chaque passage, mais la foule, estimée à environ 80 000 ou 100 000 pèlerins, rend ce geste bien aléatoire.

Non loin de la Kaaba, s'élèvent les deux collines de Safa et de Marwa, distantes l'une de l'autre de 420 mètres et entre lesquelles Agar, la servante d'Abraham, abandonnée de lui sur ordre de Dieu, courut sept fois avec Ismaël à la recherche d'un point d'eau et vit soudain miraculeusement jaillir la source Zem-Zem. Il faut refaire sept fois le même chemin qu'Agar avant de boire de l'eau de la source sacrée en récitant des prières appropriées, l'eau étant distribuée en sous-sol grâce à un système de canalisations. Le rite du *sai* est pénible à cause de la foule (quarante minutes environ pour chaque aller-retour).

Pour suivre le même chemin que le Prophète, la phase suivante entraîne les pèlerins hors de la ville pour rejoindre une petite bourgade située dans le désert à quelque 4 kilomètres à l'ouest de La Mecque : Mina. Autrefois, les pèlerins devaient y passer quatre nuits, mais à cause de leur nombre croissant, les autorités religieuses les ont autorisés à ne pas passer ces quatre nuits à Mina, mais à repartir encore plus loin dans le désert, vers le plateau d'Arafat, à 20 kilomètres de La Mecque. En l'espace de quelques heures, environ deux millions de pèlerins vont quitter La Mecque et converger vers Arafat. Ce raz de marée humain se déplaçant en même temps va demander au pèlerin une très grande patience.

Etymologiquement, Arafat est le lieu de la connaissance, où un nouveau rite symbolise l'immobilité et la prière. C'est le rite qui tiendra les pèlerins debout (le *wuquf*), de midi au coucher du soleil, en oraison, au pied du mont de la Miséricorde (Jabal al-Rahma) d'où le Prophète s'adressa à ses compagnons lors de son pèlerinage d'adieu.

Vers 6-7 heures du soir, les premiers convois de pèlerins prennent le chemin qui les conduira vers leur prochaine destination : Muzadalifah. Le pèlerin attend patiemment devant sa tente que son tour arrive ; les véhicules font la navette plusieurs fois en cette nuit (embouteillages, klaxons, lenteur...). Muzadalifah est une immense carrière située non loin de Mina. Là, avant le lever du soleil, et uniquement dans les limites de Muzadalifah, chacun part à la recherche des 49 cailloux qu'il conservera jalousement pour le prochain rite.

Le rite des lapidations, *jamrat*, est une phase clé dans le déroulement du pèlerinage : les pèlerins suivent le premier jour de la fête de l'*adha* (sacrifice), le parcours d'Abraham et de son fils Ismaël pour aller à l'endroit où Dieu demanda à ce prophète de lui sacrifier son enfant pour mettre à l'épreuve sa dévotion. Le parcours de 300 mètres environ est entrecoupé, à certains intervalles, par trois piliers en pierre : ces trois piliers marquent les endroits où le démon apparut à Abraham à trois reprises, afin de le dissuader de répondre à l'ordre divin. Abraham ne se détourna pas de son chemin et arrivé au bout du parcours, à l'endroit désigné, il entreprit de sacrifier son fils (d'où le terme *adha*, sacrifice), mais, au dernier moment, Ismaël fut remplacé par un agneau qui fut égorgé. Le pilier le plus proche de La Mecque est appelé « Jamrat al Aqaba ». Le deuxième, « Al Jamrat al Wusta ». Le troisième pilier connu sous le nom de « Al Jamrat al Saghra », la petite lapidation, se trouve à 170 mètres du deuxième. Le premier jour de l'*adha*, le pèlerin doit prendre 7 des 49 cailloux, s'approcher le plus près possible du premier pilier, viser au milieu et enfin lancer les cailloux sur ce qui symbolise le démon. Le deuxième jour de la fête, le pèlerin jette 21 autres petits cailloux sur le deuxième pilier et enfin le troisième passé aussi à Mina, le pèlerin lance le reste de ses cailloux sur le dernier pilier.

L'énorme augmentation du nombre des pèlerins rend extrêmement difficiles ces rites de lapidation. La solution, avec l'accord des autorités religieuses, a été de faire cheminer la foule sur plusieurs niveaux superposés et de surélever d'autant les piliers diaboliques. Un immense « toboggan » large de près d'une centaine de mètres traverse la ville de Mina et il a fallu construire une seconde rampe trois mètres au-dessus.

Les rites du pèlerinage ne seraient pas complets sans le sacrifice du mouton. En effet, en souvenir de l'instant sacré où le Seigneur, ému par la foi d'Abraham, substitua un agneau à Ismaël, le pèlerin est tenu de sacrifier rituellement un animal, en général un mouton ou une chèvre. Si l'animal est un chameau ou une vache, sept pèlerins peuvent contribuer à l'achat. Le sacrifice doit se dérouler dans la période située entre « Yawm el Nahr » (le premier jour de la fête) et le troisième jour de « Al Tashrique ». En principe, le premier tiers de l'animal sacrifié est destiné au pèlerin ; le deuxième tiers est destiné à être donné en offrande ; le troisième tiers est destiné à être donné aux pauvres. La formidable augmentation de la masse des pèlerins a transformé le rite du sacrifice en un énorme carnage et en un grand gaspillage, car il n'y a plus guère de pauvres aux alentours à qui faire aumône. Plus de 500 000 bêtes sont égorgées en trois jours, le plus près possible de la pierre du sacrifice d'Abraham.

Au total le pèlerin aura passé en moyenne entre une dizaine de jours et trois semaines sur les lieux saints. Il retourne chez lui avec la certitude qu'il est devenu un autre homme. Il oubliera les fatigues pour ne conserver que l'exaltation et la sérénité de l'âme.

D'après l'article
de Mohamed Labi,
« La Mecque et l'énorme augmentation
du nombre des pèlerins »
Hérodote, n° 36, 1985

La Kaaba à La Mecque.

Mahomet et la littérature

Rappeler ce que furent en Europe les idées qu'on se fit du Prophète de l'islam n'est pas seulement répondre à une curiosité légitime, c'est aussi poser un grand nombre de problèmes qui ont hanté l'esprit des non-musulmans à l'égard d'une religion dont ils craignaient l'importance. En fait ces idées reflètent l'image singulièrement déformée que l'Europe chrétienne se donna de Mahomet.

La toute puissance des dictionnaires

La lecture des dictionnaires et des encyclopédies est un moyen très sûr pour saisir l'esprit *d'une époque et l'idéologie des groupes chargés de leur rédaction. Dans le cas de Mahomet, il est surprenant de constater que tous lui sont résolument hostiles, mais pour des raisons différentes.*

Ce serait, dit M. Renan, une curieuse histoire à écrire que celles des idées que les nations chrétiennes se sont faites de Mahomet, depuis les récits du faux Turpin sur l'idole d'or *Mahom* adorée à Cadix et que Charlemagne n'osa détruire par crainte d'une légion de démons qui y était enfermée, jusqu'au jour où la critique a rendu, en un *sens très réel*, au père de l'islamisme son titre de prophète. La foi vierge de la première moitié du moyen âge, qui n'eut sur les cultes étrangers au christianisme que les notions les plus vagues, se figurait *Maphomet*, *Baphomet*, *Bafum*, d'où sont venues *bafumerie*, *mahomerie*, *momerie*, comme un faux dieu à qui l'on offrait des sacrifices humains. Ce fut au XIIe siècle que Mahomet commença de passer pour un faux prophète et que l'on songea sérieusement à dévoiler son imposture. La traduction du Coran exécutée par l'ordre de Pierre le Vénérable, les ouvrages de polémique des dominicains et de Raymond Lulle, les renseignements fournis par Guillaume de Tyr et Mathieu Pàris contribuèrent à répandre des idées plus saines sur l'islamisme et son fondateur.

Mahomet n'en resta pas moins « un sorcier, un infâme débauché, un voleur de chameaux, un cardinal qui, n'ayant pu réussir à se faire pape, inventa une nouvelle religion pour se venger de ses collègues ». Le roman chevaleresque et graveleux s'empara de sa biographie ; les *Histoires de Baphomet* forment presque une littérature.

Le Roman de Mahomet publié par MM. Reinaud et Francisque Michel (1831), nous fait connaître l'idée qu'on avait de lui au Moyen Age.

Mahomet y est représenté, moins comme un génie supérieur qui, à force de courage et d'adresse, parvint à faire changer la face d'une grande partie du monde, que comme un baron du Moyen Age qui, entouré de vassaux dévoués, vit s'élever presque sans efforts l'édifice qui nous étonne encore. Ajoutons à ce jugement si bien formulé que la lecture de ce petit poème très intéressant au point de vue de la langue de l'époque, renferme un certain nombre de mots empruntés à l'arabe, tels que des noms propres, des noms d'étoffes, et que cette circonstance offre des éléments précieux pour certaines étymologies, mises habilement en lumière dans les savantes notes de M. Reynaud.

Pierre Larousse,
*Grand dictionnaire universel du XIX*e *siècle*

Le roman de Mahomet

S'auchuns velt oïr ou savoir
La vie Mahommet, avoir
En porra ichi connissanche.
En la terre le roi de Franche
Mest jadis à Sens en Bourgoigne,
Uns cler savoecques .j. chanoigne,
Ki Sarrasins avoit esté,
Mais prise avoit crestiienté ;
Mahom del tout laissié avoit ;
Car toute la gille savoit
Que Mahommès fist en sa vie,
Le barat et la trecherie.
Il fu clers quant il fut paiens,
Et clers apriès fu crestiiens.
A son signour conta la guile
Ki à .j. abbé de la vile,
Lequel on apieloit Gravier,
Le conta, et chil à Gautier
Ki moignes estoit de s'abbie.
Li moignes luès en versefie,
.J. livret en latin en fist,
U Alixandres dou Pont prist
La matère dont il a fait
Cest petit romanch et estrait.
Si com aferme li dis moignes,
Adans avoit non li chanoignes,
Li clers avoit non Diu-dounés,
Pour chou c'à Diu s'estoit donnés.
Il connissoit par escripture
Et Mahommet et sa nature,
Comment il s'estoit demenés,
Et où ses linages fu nés.
Ses pères fu nés d'Ydumée,
Aussi i fu sa mère née.
Audimenef ot non ses pères ;
Mais je ne sai le non sa mère.
Toute la loy de Jhesucrist
Savoit par letre et par escrist.
Bons clers ert de géometrie
De musike et d'astrenomie,
De gramaire et d'artimetike,
De logike et de rétorike.
Par géometrie séust,
S'il vausist, quans piés il éust
De Mont-agut au Savoir,
Portant k'il le peuist véoir.
Il savoit tous chans acorder
Par musike, sans descorder ;
Et par forche d'astrenomie
S'aucuns hom éust courte vie,
Ou déust vivre longhement ;
Ques ans fust plentuis de forment,
Ou s'il déust molt grant froit faire.
Molt bons clers estoit de gramaire.
Par artimetike séust
Quans quarriaus tailliés il éust
En une tour u en .j. mur,
Ou autre conte plus séur.
Par retorike et par raisons

Savoit-il bien que jamais hons
Rendre vaincu ne le péust,
Jà soit chou que bon droit éust.
Jà soit chou que il fust si sages,
S'estoit-il sers et ses linages.
Sers de son chief por voir estoit
A .j. baron cui il servoit,
Ki riches ert de grant manière
De bos, de prés et de rivière,
De vergiers, de molins, de fours,
De castiaus, de viles, de bours,
De chevaliers, de castelains,
De citoiens et de vilains.
Et jà soit chou k'il fust mueblés
De vins, d'avainnes et de blés,
De deniers et d'or et d'argent,
Souvent envoioit par sa gent
En lontains lius marchéandise,
Selonc la coustume et la guise
Ki ou païs adonc estoit ;
Mais plus par Mahommet faisoit
Que par conseil de nul autre homme.
Il li a donnée la somme
De commander od sa maisnie
En son osteil à grant baillie.
Quant il est présens en maison,
A toute chose rent raison :
Plus que dormir amoit villier,
Et soi durement travillier
Ou pré son signor et sa dame ;
Jamais ne trouvaiscent nule ame
Ki lor féist si loiaument
Lor choses, ne si saghement.
En cel tans, en cele partie,
Estoit uns hom de sainte vie,
Demourans en .j. hermitage
En une montaigne sauvage,
U il proioit Nostre Signour
Pour tout le pule, cascun jour ;
Lui meïsmes n'oublioit mie ;
Car mal proie qui lui oublie,
Et cil n'est pas de bonne foi
Ki ne prie fors que pour soi.
Molt valt d'un juste la pièche ;
Car Nostre Sires l'a molt chière.
Cil hom vivoit sans vilonnie,
Poi buvoit de bon vin sour lie,
Mais aighe ki n'ert pas boulie :
Por Diu menoit si dure vie ;
Car toz honnis estre cuidast,
Se son cors gaires reposast ;
Nul mal en lui ne laissoit croistre,
Ains se batoit dedens son cloistre
Où il abitoit trestous seus.
Voisins ert as ours et as leus,
Petit dormoit, si vestoit haire,
De char mangier n'avoit que faire,
Magres estoit et piaucelus
Par astinenche, et tous pelus.
Diu proioit en tel penitanche,

Reinaud et Michel,
Roman de Mahomet

Au XVIIe siècle, Bayle, qui considère néanmoins le père du Coran en historien, conserve des préjugés injustes à son égard. Il avoue cependant que sa morale n'est pas celle du premier venu et que, sauf la polygamie et la vengeance, elle n'est pas très différente de la morale chrétienne.

Mahomet, fondateur d'une religion qui eut bientôt, et qui a encore, une très grande étendue, naquit à La Mecque dans l'Arabie du VIe siècle. On n'est point d'accord sur l'année de sa naissance, ni sur l'état de sa famille ; mais personne ne nie qu'Abdalla son père, et Emina sa mère, ne fussent pauvres. Abdalla mourut deux mois avant la naissance de Mahomet. Emina le suivit au bout de six ans, et Abdolmutleb, père d'Abdalla, mourut deux ans après elle. Il fallu que cet enfant fût élevé par Abutaleb son oncle.

Abutaleb et sa femme furent fort contents de la conduite de leur neveu ; mais n'ayant pas assez de biens pour le marier, ils trouvèrent à propos de le placer au service d'une femme qui envoyait des marchandises dans la Syrie. Cette femme, nommée

Chadighe, devint amoureuse de Mahomet son voiturier, ou le conducteur de ses chameaux, et l'épousa. Il avait alors 25 ans. Il eut de cette femme trois fils qui moururent fort jeunes, et quatre filles qui furent bien mariées.

Comme il était sujet au mal caduc, et qu'il voulut cacher à sa femme cette infirmité, il lui fit accroire qu'il ne tombait dans ses convulsions, qu'à cause qu'il ne pouvait tenir la vue de l'ange Gabriel, qui lui venait annoncer de la part de Dieu plusieurs choses concernant la religion. Chadighe, ou trompée, ou feignant de l'être, s'en allait dire de maison en maison que son mari était prophète, et par ce moyen elle tâchait de lui

procurer des spectateurs. Son valet et quelques autres personnes qu'il suborna travaillèrent à la même chose ; cela avec tant de succès, que les magistrats de La Mecque craignirent une sédition. Afin donc de prévenir les désordres que la naissance d'une secte a coutume de produire, ils résolurent de se défaire de Mahomet. Il en fut averti, et il prit la fuite. (...)

Pierre Bayle,
Dictionnaire historique et critique

*Le XVIIIe siècle a beaucoup aimé les dictionnaires. Il en a publié de toutes sortes et de tous formats, mais l'*Encyclopédie *occupe, dans l'histoire des idées de la librairie, une place à part.*

Cette religion s'appela l'*islamisme*, qui signifie *résignation* à la volonté de Dieu. Le livre qui la contient s'appela *coran*, c'est-à-dire, *le livre*, ou l'écriture, ou la lecture par excellence.

Tous les interprètes de ce livre conviennent que la morale est contenue dans ces paroles : « recherchez qui vous châtie, donnez à qui vous ôte, pardonnez à qui vous offense, faites du bien à tous, ne contestez point avec les ignorants ». Il aurait dû également recommander de ne point disputer avec les savants. Mais dans cette partie du monde, on se doutoit pas qu'il y eût ailleurs de la science et des lumières.

Parmi les déclamations incohérentes dont ce livre est rempli, selon le goût oriental, on ne laisse pas de trouver des morceaux qui peut paraître sublimes. Mahomet, par exemple, en parlant de la cessation du déluge, s'exprime ainsi : « Dieu dit : terre, englouti tes eaux ; ciel, puise les eaux que tu as versées ; le ciel et la terre obéirent. »

Sa définition de Dieu est d'un genre plus véritablement sublime : « c'est celui, répond-il, qui tient l'être de soi-même et de qui les autres le tiennent, qui n'engendre point et qui n'est point engendré, et à qui rien n'est semblable dans toute l'étendue des êtres ».

Il est vrai que les contradictions, les absurdités, les anachronismes, sont répandus en foule dans ce livre. On y voit surtout une ignorance profonde de la physique la plus simple et la plus connue. C'est là la pierre de touche des livres que les fausses religions prétendent écrits par la Divinité ; car

Dieu n'est ni absurde, ni ignorant : mais le vulgaire qui ne voit point ces fautes, les adore, et les Imans emploient un déluge de paroles pour les pallier.

Diderot,
Encyclopédie

Trévoux était le siège d'une académie de pères jésuites qui, à partir de 1701, publièrent un important journal de critique littéraire auquel on donne d'habitude le nom de Journal de Trévoux *; plus tard, cette publication se consacra essentiellement à la défense de la religion.*

MAHOMET. s. m. Nom d'homme. Muhammedes, Mahometus, Mahometes. L'auteur de la religion Mahométane a rendu ce nom fameux. Il était de la lie du peuple, fils du païen nommé Abdalla ; c'est-à-dire « Serviteur de Dieu ». Il naquit vers la fin du VIe siècle. Il commença à répandre sa doctrine extravagante au commencement du VIIe siècle. En 622, il fut obligé de s'enfuir de La Mecque, le 16 de juillet. Ce qui fonda la fameuse époque de l'Hégire, c'est-à-dire, de la fuite, et mourut âgé de 63 ou 65 ans. Mahomet I, Mahomet II, etc., sont des sultans des Turcs ; mais Mahomet tout court, c'est le faux prophète dont nous venons de parler. Mahomet fut un homme superbe, ambitieux, cruel, débauché à l'excès, ne sachant ni lire, ni écrire, et tout à fait indigne d'être l'Envoyé de Dieu.

Ce nom vient de *Hamada*, qui en Arabe signifie « louer », de sorte que Hahhamed, qui est le vrai nom dont nous avons fait Mahomet, signifie louable, célèbre, fameux.

Trévoux,
Dictionnaire (édition de 1771)

Mahomet mis en scène

La vie de Mahomet n'inspira pas seulement les auteurs de dictionnaires, mais aussi et non moins violemment, les auteurs de pièces de théâtre : Voltaire y voit un fanatique, Goethe, un assassin.

« Mahomet ou le Fanatisme », tragédie de Voltaire (Grand-Théâtre de Lille, 1741, Comédie-Française, 1742). En attaquant le fanatisme musulman, il est bien entendu que Voltaire a voulu prendre à partie tous les fanatismes, et son arrière-pensée était de montrer les abus et les crimes auxquels entraîne la passion religieuse. (...)

Comme drame, *Mahomet* n'est qu'un tissu d'horreurs invraisemblables. Le prophète travaille à fonder son empire sur la religion, et sa religion sur le mensonge. C'est un ambitieux qui ne sait pas même dissimuler ses projets. Pour les exécuter, il a un instrument aveugle et dévoué, Séide, que son fanatisme conduit au crime et à la mort.

Laharpe a exprimé sur cette pièce un jugement admiratif qui traduit l'opinion générale du XVIIIe siècle. « *Mahomet*, dit-il, est fait pour instruire tous les hommes, pour leur inspirer cette bienveillance mutuelle qui doit les rapprocher, encore que leur croyance les divise. Il apprend à détester le fanatisme, qui, une fois reçu dans une âme pure, mais égarée par un esprit crédule et une imagination ardente, donne à l'homme, pour le crime, toute l'énergie qu'il aurait eue pour la vertu (...) comme le délire frénétique de la fièvre est plus terrible dans un corps vigoureux. »

Pierre Larousse,
Grand dictionnaire du XIXe siècle

ACTE PREMIER, SCÈNE PREMIÈRE

ZOPIRE, PHANOR

ZOPIRE

Qui ? Moi, baisser les yeux devant ses faux prodiges ?
Moi, de ce fanatique encenser les prestiges ?
L'honorer dans La Mecque après l'avoir banni ?
Non. Que des justes dieux Zopire soit puni,
Si tu vois cette main, jusqu'ici libre et pure,
Caresser la révolte et flatter l'imposture !

PHANOR

Nous chérissons en vous ce zèle paternel
De chef auguste et saint du sénat d'Ismaël,
Mais ce zèle est funeste ; et tant de résistance,
Sans lasser Mahomet, irrite sa vengeance.
Contre ses attentats vous pouviez autrefois
Lever impunément le fer sacré des lois,
Et des embrasements d'une guerre immortelle
Étouffer sous vos pieds la première étincelle.
Mahomet citoyen ne parut à vos yeux
Qu'un novateur obscur, un vil séditieux ;
Aujourd'hui, c'est un prince : il triomphe, il domine
Imposteur à La Mecque, et prophète à Médine,
Il sait faire adorer à trente nations
Tous ces mêmes forfaits qu'ici nous détestons.
Que dis-je ? En ces murs même une troupe égarée,
Des poisons de l'erreur avec zèle enivrée,
De ses miracles faux soutient l'illusion,
Répand le fanatisme et la sédition,
Appelle son armée, et croit qu'un dieu terrible
L'inspire, le conduit, et le rend invincible.
Tous nos vrais citoyens avec vous sont unis ;
Mais les meilleurs conseils sont-ils toujours suivis ?
L'amour des nouveautés, le faux zèle, la crainte
De La Mecque alarmée ont désolé l'enceinte ;
Et ce peuple, en tout temps chargé de nos bienfaits,
Crie encore à son père, et demande la paix.

ZOPIRE

La paix avec ce traître ? Ah ! peuple sans courage,
N'en attendez jamais qu'un horrible esclavage.
Allez, portez en pompe, et servez à genoux
L'idole dont le poids va vous écraser tous.

(...)

SCÈNE III

MAHOMET, SÉIDE, PALMIRE

MAHOMET

Invincibles soutiens de mon pouvoir suprême,
Noble et sublime Ali, Morad, Hercide, Hammon,
Retournez vers ce peuple, instruisez-le en mon nom ;
Promettez, menacez, que la vérité règne ;
Qu'on adore mon Dieu, mais surtout qu'on le craigne.
Vous, Séide, en ces lieux !

SÉIDE

Ô mon père ô mon roi !
Le Dieu qui vous inspire a marché devant moi.
Prêt à mourir pour vous, prêt à tout entreprendre,
J'ai prévenu votre ordre.

MAHOMET

Il eût fallu l'attendre.
Qu'il fait plus qu'il ne doit ne sait point me servir.
J'obéis à mon Dieu ; vous, sachez m'obéir.

PALMIRE

Ah ! seigneur, pardonnez à son impatience.
Élevés près de vous dans notre tendre enfance,
Les mêmes sentiments nous animent tous deux.
Hélas ! mes tristes jours sont assez malheureux.
Loin de vous, loin de lui, j'ai langui prisonnière ;
Mes yeux de pleurs noyés s'ouvraient à la lumière.
Empoisonneriez-vous l'instant de mon bonheur ?

MAHOMET

Palmire, c'est assez ; je lis dans votre cœur ;
Que rien ne vous alarme, et rien ne vous étonne.
Allez ; malgré les soins de l'autel et du trône,
Mes yeux sur vos destins seront toujours ouverts ;
Je veillerai sur vous comme sur l'univers.

À Séide.

Vous, suivez mes guerriers ; et vous, jeune Palmire,
En servant votre Dieu, ne craignez que Zopire.

Voltaire,
Mahomet ou le Fanatisme

DÉBUT DU Ier ACTE

MAHOMET.
HALIMA, *mère adoptive de Mahomet.*

Dans la campagne, sous le ciel étoilé.

MONOLOGUE DE MAHOMET

Ne puis vous partager ce dont s'émeut cette âme.
Ne puis vous émouvoir de mon total émoi.
Aux prières de feu qui, qui donc prête oreille ?
Vers les yeux suppliants qui donc tourne un regard ?

Regarde ! Gad surgit, scintille, astre et sourire !
Sois-moi seigneur et dieu ! Douceur ! Il me fait signe !
Demeure, oh ne fuis pas ! Quoi, ton regard m'évite ?
Las ! pour lui tant d'amour et lui s'est dérobé !

Lune, je te bénis ! Meneuse des étoiles,
Sois-moi dame et déesse ! En toi j'ai route blanche !
Ne va pas me laisser, délaisser dans cette ombre,
M'y laisser m'égarer en plein peuple égaré !

A toi, soleil ardent, le cœur ardent se voue !
Sois-moi seigneur et dieu ! Œil total, guide-moi.
Toi de gloire, à ton tour vas-tu descendre au loin ?
Me voici pris aux plis épaissis de la nuit.
Cœur d'amour, lève-toi d'un trait vers qui te crée !
Sois-moi seigneur et dieu, Tout-Aimant, ô toi
D'où surgissent créés soleil, étoiles, lune
Et le ciel et la terre et moi-même.

DIALOGUE

MAHOMET, *vers lui s'en vient Halima.*

MAHOMET. – Halima ! Las ! que ce soit elle, l'importune en ma fête d'extaxe ! Que me veux-tu, Halima !

HALIMA. – Mon enfant aimé, ne me tourmente pas : depuis le coucher du soleil, je cherche après toi. Ta tendre jeunesse, il ne faut pas l'exposer ainsi aux dangers de la nuit.

MAHOMET. – Pleins midis et minuits sont également méchants pour les méchants. Le vice tire à soi le malheur, le crapaud le venin ; sous le firmament, talisman de santé partout semblable, la jeunesse autour de nous maintient la plus salutaire des atmosphères.

HALIMA. – Quoi ! seul en pleine campagne ! Dans une nuit où rien ne défend des brigands ?

MAHOMET. – Je n'étais pas seul. Le Seigneur mon Dieu m'a fait grande amitié de moi s'est approché.
HALIMA. – Et tu l'as vu ?...
MAHOMET. – Ne le vois-tu pas ? Pas de source paisible, pas d'arbre en fleur où je me heurte à lui, à Lui, tout chaud dans mon amour. Ma poitrine soudain ouverte au large, la dure écorce de mon cœur soudain arrachée au loin pour que je puisse sentir son approche, tout cela, comme je lui dois tout !
HALIMA. – Ta poitrine « ouverte au large » ? Tu délires ! Comment serais-tu en vie ?
MAHOMET. – Je supplierai mon Seigneur pour toi, qu'il t'apprenne à m'entendre.
HALIMA. – C'est qui, ton Dieu ? Al Fatas ou Hobal ?
MAHOMET. – Pauvre peuple d'infortunés ! A la pierre tu cries : « Je t'aime ! » A l'argile : « Sois mon appui ! » Où sont leurs oreilles pour entendre la prière, leurs bras pour venir en aide ?
HALIMA. – Celui qui loge dans la pierre, flotte aux flancs de l'argile, perçoit ma voix et grande est sa puissance.
MAHOMET. – Grande ! Ô combien ! Ils sont trois cents à se serrer l'un contre l'autre ; vers chacun monte en fumée un autel avec force oraisons dessus. Vous priez contre vos voisins, vos voisins contre vous ; voilà vos dieux, vos roitelets de dieux aux enclaves enchevêtrées, condamnés à se barrer la route tour à tour avec des criailleries sans fin.
HALIMA. – Comment ? Ton dieu n'a pas de compagnon ?
MAHOMET. – S'il en avait, serait-il dieu ?
HALIMA. – Où loge-t-il ?
MAHOMET. – Partout.
HALIMA. – Autant dire nulle part. As-tu des bras pour le saisir, ce dieu partout délayé ?
MAHOMET. – Oui. Et plus forts, plus brûlants que ceux que j'ai là pour te remercier de ton amour ! Il n'y a pas longtemps que je sais m'en servir, Halima, j'étais comme l'enfant que vous emmaillotez de langes étroits, je sentais mes bras et mes pieds croître dans le noir, mais il ne m'appartenait pas de me libérer moi-même. Ô mon Seigneur, libère l'humanité de ses liens ; son désir le plus profond aspire à toi.
HALIMA. – Il est tout changé. Sa nature a tourné, sa raison a bien souffert. Vite ! vaut mieux le ramener à ses parents ! Ne tiens pas à passer pour responsable, si ça tourne mal.

Goethe,
Mahomet
(traduction d'Armand Robin)

Lamartine, esprit ouvert

En 1833, à l'occasion d'un voyage en Orient, les réflexions de Lamartine vont incliner vers un libéralisme religieux de plus en plus affranchi du dogme chrétien. Sans renier ses croyances, il sera un des premiers à s'ouvrir au monde musulman.

Jamais homme ne se proposa volontairement ou involontairement un but plus sublime, puisque ce but était surhumain : saper les superstitions interposées entre la créature et le Créateur, rendre Dieu à l'homme et l'homme à Dieu, restaurer l'idée rationnelle et sainte de la Divinité dans ce chaos de dieux matériels et défigurés de l'idolâtrie.

Jamais homme n'entreprit, avec de si faibles moyens, une œuvre si démesurée aux forces humaines puisqu'il n'a eu, dans la conception et dans l'exécution d'un si grand dessein, d'autre instrument que lui-même et d'autres auxiliaires qu'une poignée de barbares dans un coin du désert.

Enfin, jamais homme n'accomplit en moins de temps une si immense et si durable révolution dans le monde puisque, moins de deux siècles après sa prédication, l'islamisme, prêché et armé, régnait sur les trois Arabies, conquérait la Perse, le Khorasan, la Transoxiane, l'Inde occidentale, la Syrie, l'Egypte, l'Ethiopie, tout le continent connu de l'Afrique septentrionale, plusieurs des îles de la Méditerranée, l'Espagne et une partie de la Gaule.

Si la grandeur du dessein, la petitesse des moyens, l'immensité du résultat sont les trois mesures du génie de l'homme, qui osera comparer humainement un grand homme de l'histoire moderne à Mahomet ? Les plus fameux n'ont remué que des armes, des lois, des empires ; ils n'ont fondé (quand ils ont fondé quelque chose) que des puissances matérielles écroulées souvent avant eux. Celui-là a remué des armées, des législations, des empires, des peuples, des dynasties, des millions d'hommes sur le tiers du globe habité : mais il a remué, de plus, des autels, des dieux, des religions, des idées, des croyances, des âmes ; il a fondé, sur un livre dont chaque lettre est devenue loi, une nationalité spirituelle qui englobe des peuples de toute langue et de toute race, et il a imprimé, pour caractère indélébile de cette nationalité musulmane, la haine des idoles et la passion du Dieu unique. Ce patriotisme, vengeur des profanations du ciel, fut la vertu des enfants de Mahomet. L'idée de l'unité de Dieu, proclamée dans la lassitude des théogonies, fabuleuses, avait elle-même une telle vertu, qu'en faisant explosion sur ses lèvres, elle incendia tous les vieux temples des idoles et alluma de ses lueurs un tiers du monde.

Cet homme était-il un imposteur ? Nous ne le pensons pas, après avoir étudié son histoire. L'imposture est l'hypocrisie de la conviction, comme le mensonge n'a jamais la puissance de la vérité.

Si la force de projection est, en mécanique, la mesure exacte de la force d'impulsion, l'action est de même, en histoire, la mesure de la force d'inspiration. Une pensée qui porte si haut, si loin et si longtemps est une pensée si forte ; pour être si forte, il faut qu'elle ait été bien sincère et bien convaincue...

Mais sa vie, son recueillement, ses blasphèmes héroïques contre les superstitions de son pays, son audace à affronter les fureurs des idolâtres, sa constance à les supporter quinze ans à La Mecque, son acceptation du rôle de scandale public et presque de victime parmi ses compatriotes, sa fuite enfin, sa prédication incessante, ses guerres inégales, sa confiance dans les succès, sa sécurité surhumaine dans les revers, sa longanimité dans la victoire, son ambition toute idée, nullement d'empire, sa prière sans fin, sa conversation mystique avec Dieu, sa mort et son triomphe après le tombeau : plus qu'une imposture un conviction. Ce fut cette conviction qui lui donna la puissance de restaurer un dogme. Ce dogme était double, l'unité de Dieu et l'immatérialité de Dieu, l'un disant ce que Dieu est, l'autre disant ce qu'il n'est pas ; l'un renversant avec le sabre des dieux mensonges, l'autre inaugurant avec la parole une idée !

Philosophe, orateur, apôtre, législateur, guerrier, conquérant d'idées, restaurateur de dogmes, fondateur de vingt empires terrestres et d'un empire spirituel, voilà Mahomet !

A toutes les échelles où l'on mesure la grandeur humaine, quel homme fut plus grand ?

Lamartine,
Histoire de la Turquie

Femmes en Islam

La situation des femmes en Islam a été maintes fois abordée, soit d'un point de vue critique par des auteurs européens, soit d'une manière apologétique par les musulmans eux-mêmes. L'ethnologie moderne montre que l'oppression des femmes, loin d'être le triste apanage de l'Islam, sévit aussi bien dans les pays chrétiens que musulmans. L'ethnologue Germaine Tillion, dans son livre « le Harem et les Cousins », considère qu'il existe vis-à-vis de la femme une attitude commune aux riverains de la Méditerranée.

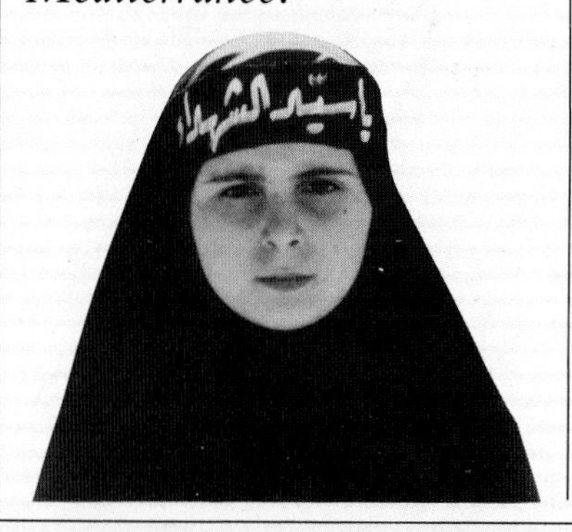

L'honneur des sœurs

Dans toute la Méditerranée nord et sud, la virginité des filles est une affaire qui — fort étrangement — concerne d'abord leur frère, et plus que les autres frères leur frère aîné.

Un petit mâle de sept ans est ainsi déjà dressé à servir de chaperon à une ravissante adolescente dont il sait très exactement à quel genre de péril elle est exposée. Or, ce risque est présenté à l'enfant comme une cause de honte effroyable, qui doit précipiter dans l'abjection la totalité d'une famille pleine d'orgueil, éclaboussant même les glorieux ancêtres dans leurs tombeaux, et il est lui, moutard mal mouché, personnellement comptable vis-à-vis des siens du petit capital fort intime de la belle jeune fille qui est un peu sa servante, un peu sa mère, l'objet de son amour, de sa tyrannie, de sa jalousie... Bref, sa sœur.(...)

La révolution coranique

Au VIIe siècle de notre ère, l'Islam engagea une lutte pratique contre les turpitudes qui s'étalaient dans la société arabe en voie d'urbanisation, et pas seulement contre ces turpitudes mais aussi contre leurs causes profondes.

Parmi les turpitudes en question, il faut classer l'avilissement de la condition féminine et parmi les causes de cet avilissement figurait assurément, dès ce temps-là, « l'effondrement des vieilles structures » et la réaction de défense que cet effondrement avait fait naître. Il faut l'attribuer au maintien artificiel, dans les cités et les bourgs, des exigences élaborées dans les clans nomades de l'Asie occidentale et de l'Afrique du Nord.

Voici, en matière d'héritage, ce que prescrivit la loi de l'Islam : à

chaque orpheline, donner une part des biens de son père égale à la moitié de celle d'un enfant mâle, et la moitié de l'héritage s'il n'y a pas de fils (le reste étant réparti entre la veuve, les ascendants et les frères). A la veuve, le quart de l'héritage de son époux si ce dernier est sans descendance, un huitième dans le cas contraire. Aux ascendants, lorsque le défunt en possède encore, la loi attribue des parts égales, soit un tiers au père et un tiers à la mère si le mort n'a pas de fils, sinon un sixième à chacun.

Pour mesurer à quel point cette répartition était raisonnable dans le contexte social où elle a été promulguée, il faut se souvenir que le Coran impose au mari la charge d'entretenir complètement sa femme et ses enfants, quelles que soient sa pauvreté et la fortune de sa femme ; en outre, il attribue à la femme mariée la gestion indépendante de ses biens personnels (dot, douaire et héritage).

Dans cette perspective, le législateur devait par conséquent prévoir pour chaque fils non seulement son entretien mais aussi, le jour venu, celui de sa femme et de ses enfants, alors que chaque fille, par contre, pouvait compter sur les subsistances que son mari et plus tard, son fils, étaient tenus par la loi de lui fournir. En aucun cas, elle ne devait avoir la charge de subvenir à d'autres besoins que les siens ; encore fallait-il, pour qu'elle y soit réduite, qu'une série de désastres la poursuivît, autrement dit qu'elle eût le malheur de se trouver à la fois veuve, orpheline, et sans fils ni frère en état de l'accueillir... Si tel était le cas, elle devait avoir la moitié de l'héritage de son père, le quart de celui de son mari et le douaire qui lui avait été versé au moment de son mariage.

Ces prescriptions représentaient, au moment où le Coran fut révélé, la législation la plus « féministe » du monde civilisé, mais elle constituait (et constitue encore) dans une tribu homogène une véritable bombe explosive.

Chez les bourgeois des villes, quand le patrimoine se compose de pièces d'étoffe ou de sacs de monnaie, il ne sera pas impossible de donner à chaque fils et chaque fille la portion du bien paternel, filial ou marital, que la loi religieuse lui accorde expressément, néanmoins, à cause de cette loi, les grandes fortunes citadines de l'Islam se maintiennent plus rarement et plus difficilement que les grandes fortunes chrétiennes.

Chez les nomades, on peut également partager, selon les mêmes barèmes, les chamelles, les brebis, les chèvres, mais il n'est pas inutile de se représenter pratiquement l'opération. Imaginons un Bédouin qui meurt avant sa mère, en laissant à ses deux fils, à ses trois filles et à sa veuve, un héritage composé de quarante-huit moutons. Selon la loi religieuse, six doivent aller à la veuve, huit à la mère, cinq à chacune des trois filles et dix aux deux garçons, ce qui — pour les gens qui savent compter — représente quarante-neuf moutons.

En pratique, sauf en cas de conflit (très rare), on ne séparera pas le troupeau. La grand-mère vivrait d'ailleurs fort mal, toute seule avec ses huit moutons, la veuve (bien souvent elle est la mère des enfants ou d'une partie d'entre eux) serait plus mal partagée encore avec les six qui lui reviennent. En outre, mère, grand-mère et sœurs craignent de vivre seules et ressentent le besoin d'une protection ; or, elles ont droit à celle de l'homme qui est leur frère, leur fils ou leur petit-fils. S'il n'y a nul héritage, elles attendront de lui, avec confiance, qu'il partage avec elles le maigre salaire de son travail — et jadis il n'aurait jamais osé se soustraire à cette attente. On verra donc le fils aîné tout régler, exactement comme le faisait son père, sans qu'aucun changement intervienne en apparence dans la répartition des biens. Néanmoins chacun sait ce qui appartient à celui-ci ou celle-là...

Chez les cultivateurs sédentaires, tout change, car on ne partage plus des bêtes ni des pièces de monnaie ou des coudées de tissu, mais des champs... Le paysan qui laisse en mourant un domaine de quarante-huit hectares, à répartir entre les sept héritiers que j'ai énumérés, doit retrancher de sa terre une enclave d'une vingtaine d'hectares revenant à ses filles

ou à sa femme. Or ses filles peuvent épouser des hommes d'une autre lignée, d'une autre *feraq* d'un autre village ; leurs enfants seront alors des étrangers et ces étrangers prendront un jour possession des hectares de leur grand-père maternel, qui cesseront ainsi d'appartenir aux gens du même nom.

Dans le cas du paysan maghrébin, la pratique religieuse fait chavirer une société qui est entièrement construite sur l'homogénéité du terroir et sur l'impossibilité, pour un homme qui porte un autre nom que celui du groupe, de s'y établir sans être au préalable adopté « comme frère ». Le tombeau de l'ancêtre éponyme est d'ailleurs presque toujours là, dans l'endroit le plus haut ou le plus central, pour symboliser l'appropriation du sol par sa lignée.

Germaine Tillion,
le Harem et les Cousins

« Si l'on pouvait ordonner à un être humain de se prosterner devant un autre, ce serait à la femme devant l'homme. » Cette parole du Prophète illustre parfaitement l'ancestrale attitude de la femme islamique.

La vie quotidienne dans la famille et la société

Le plus souvent, la naissance d'une petite fille ne provoquait pas chez la mère la même joie que celle d'un garçon. Si les femmes qui l'aidaient à mettre son enfant au monde ne poussaient pas de cris d'allégresse, chantant les louanges d'Allah, dès que le bébé était là, mais se bornaient à de discrets chuchotements, ce comportement à lui seul lui permettait de conclure qu'elle avait donné naissance à une fille et non à un garçon avant même qu'on le lui dise ou qu'on lui montre le nouveau-né. Et ceci dans tous les milieux, des Bédouins aux

paysans, aux couches inférieures, moyennes et supérieures des villes, et à la cour elle-même. Chez les riches, l'arrivée d'une petite fille ne donnait pas lieu non plus, comme celle d'un garçon, à de coûteuses réjouissances. Cela tenait non seulement au fait que, dès l'enfance, les femmes étaient tenues à l'écart de la vie publique, mais l'incertitude des temps, où un fils, au contraire d'une fille, pouvait contribuer à assurer la subsistance de la famille, voire, chez les Bédouins, à la défendre contre ses ennemis. En outre, la fille, en se mariant, quittait sa propre famille pour vivre avec celle de son mari qu'elle contribuait à renforcer par les fils auxquels elle donnerait naissance. Chez les Bédouins de l'époque pré-islamique, il arrivait même que l'on enterre vivantes les fillettes à leur naissance dans le sable du désert, chose que le Coran interdit sévèrement, de même qu'il blâme les pères qui en veulent au destin et dont le visage s'assombrit à la naissance d'une fille.

Ce sont les parents qui choisissaient le nom de l'enfant. Des noms de membres de la famille du Prophète comme Amina, Khadidja, A'icha, Zaynab, Fatima, Umm Kulçum, Nafiça, Roqqaya figurent toujours parmi les noms typiques donnés aux filles dans tous les pays islamiques. Mais, comme partout, l'attribution du nom subit aussi l'influence de la mode, de la tradition de famille et de facteurs locaux et sociaux. Soit immédiatement après la naissance, soit aussi, dans certains endroits, sept jours plus tard, un docteur de la religion se rendait chez les parents et chuchotait le nom choisi et l'appel à la prière à l'oreille de l'enfant qui était ainsi admis dans la communauté des croyants, mais devait être également protégé d'après les croyances superstitieuses des mauvais esprits qui pourraient lui causer des dommages. La sunna conseille en outre de tondre les cheveux le septième jour après sa naissance et de faire le sacrifice d'un animal en son honneur. Ici aussi se traduit le peu de valeur accordé aux filles : il était courant de tuer deux chameaux pour un garçon, pour une fille un seul suffisait ou bien on supprimait le sacrifice. Il était d'usage de répartir la viande de l'animal parmi les pauvres. En outre, on conseillait aux croyants de donner en aumône l'équivalent en or et argent du poids des cheveux tondus. (...)

« Déchire ton voile ! »

C'est en ces termes que le poète iraqien Djamal Sidqa az-Zahaoui s'adressait à ses compatriotes femmes dans le premier quart de ce siècle. Dès la deuxième moitié du siècle passé, le voile était aux yeux des intellectuels éclairés de certains pays de l'Islam le symbole de la mise à l'écart de la femme de la vie publique, de son exclusion de presque toutes les possibilités d'instruction, devenue de plus en plus patente avec le déclin du monde islamique.

Le récit de voyage de l'Egyptien Rifa'a Bey à son retour de France montre à quel point la position sociale de la femme française – celle de la bourgeoisie naturellement, avec laquelle il avait eu l'essentiel de ses contacts – paraissait inhabituelle à un intellectuel marqué par la société islamique de cette époque. Rifa'a Bey conduisit la première délégation d'étude égyptienne à Paris en 1826-1831, et son rapport révèle les nombreuses différences entre deux mondes dont l'un – l'Orient – ne savait

à l'époque à peu près rien de l'autre – l'Europe. Rifa'a Bey apprend à ses compatriotes que les Françaises, non seulement voyageaient seules, mais s'intéressaient aussi aux questions scientifiques et que, dans ce pays, le proverbe selon lequel la beauté de l'homme réside dans son intelligence et celle de la femme dans son langage, n'était pas valable, car on y exigeait aussi des femmes de l'intelligence, du talent, du discernement et du savoir. « Elles sont en toutes choses les égales des hommes » , constate-t-il en parlant des Françaises. Pour l'Oriental habitué à la structure familiale ultra-patriarcale, les formes de politesse ouest-européennes sont presque suspectes : « Les hommes sont en certaines choses les esclaves des femmes. » Si la moralité des Françaises souffrait la critique, selon le musulman de stricte orthodoxie qu'il était, il déclare toutefois que la vertu d'une femme ne dépend pas du fait qu'elle soit ou non voilée, mais de son éducation et de certains facteurs psychiques. Plus tard, il fut l'un des premiers Egyptiens à prôner pour les filles une instruction scolaire appropriée. (...)

Voile et milaya, abaya, tchador ou tcharchaf représentaient aussi une protection pour les femmes. Ainsi, les Egyptiennes progressistes qui prirent part au soulèvement de 1919 purent dissimuler des armes sous leur milaya. Elles avaient saisi la première grande occasion qui leur était donnée de montrer qu'elles voulaient prendre part à la lutte politique du pays. En Iran, lors des troubles des derniers mois de l'année 1978, les femmes transportèrent des armes sous le tchador. Aujourd'hui, en outre, on peut observer aussi que les femmes de certains groupes de la population, comme par exemple celles de la campagne ou du prolétariat des petites villes, portent le voile, ce qu'elles ne faisaient pas au cours des siècles précédents parce qu'il les gênait pour travailler. Elles veulent montrer ainsi leur opposition à l'occidentalisation des couches supérieures de la population. Tandis que, au début des efforts en faveur de l'émancipation de la femme, le combat contre le voile et l'habillement islamique traditionnel était à l'ordre du jour, on remarque actuellement dans plusieurs pays islamiques des tendances rétrogrades.

Du fait des tabous encore existants quant à la libre fréquentation entre personnes de sexes différents, les femmes des pays islamiques continuent encore aujourd'hui à donner leur préférence à certaines professions : les universitaires sont surtout institutrices dans les écoles de filles, professeurs, principalement dans les facultés féminines – qui existent toujours dans de nombreuses universités de ces pays – médecins, pour la plupart gynécologues ou pédiatres. Celles qui ont une instruction de niveau moyen travaillent par exemple comme infirmières dans des services où l'on soigne les femmes et les enfants et, depuis peu, on les voit aussi avec des collègues masculins dans les services administratifs ou dans les laboratoires. En Egypte, en Syrie et en Iran, l'auteur de ce livre a souvent vu dans les usines des ateliers réservés aux femmes ou aux hommes. On justifiait cet état de choses par le fait que, dans les couches inférieures de la population, à la mentalité conservatrice prédominante, et chez lesquelles la formation moderne ne prévaut pas encore, les pères de famille n'accepteraient pas d'envoyer leurs filles travailler dans une usine où elles pourraient fréquenter librement leurs collègues masculins. En séparant les travailleurs selon le sexe, on ferait un premier pas pour entraîner les femmes de ces milieux à travailler hors de chez elles. Une Marocaine qui a soutenu une thèse en 1974, dans une université des Etats-Unis, y écrivait qu'au Maroc une jeune fille obligée de se rendre partout où sa profession l'exige est reléguée au bas de l'échelle sociale. L'exclusion de la vie publique reste aujourd'hui une faveur réservée aux épouses des riches. Certes, du fait du chômage, beaucoup d'hommes ne sont pas en mesure de nourrir convenablement leur famille, mais permettre à une femme de travailler hors de chez elle, et qui plus est, sous la surveillance d'autres hommes, ferait passer le mari, selon la conception traditionnelle, pour un proxénète. Les possibilités qu'a la femme de s'émanciper grâce à une activité professionnelle sont surtout fortement limitées dans les pays qui disposent d'un surcroît de main-d'œuvre, comme le Maroc, la Tunisie, l'Egypte et la Turquie.

Certains domaines d'activité largement réservés aux femmes dans l'Europe actuelle, comme le service domestique et le commerce de détail, restent dans le monde islamique l'apanage des hommes, ou à la rigueur des femmes étrangères. Probablement est-ce seulement à nous à qui cela semble paradoxal de voir, à Bagdad, dans un petit magasin du souk, une jeune femme enveloppée dans son abaya acheter de la lingerie délicate à un vendeur.

Wiebke Walther,
Femmes en Islam

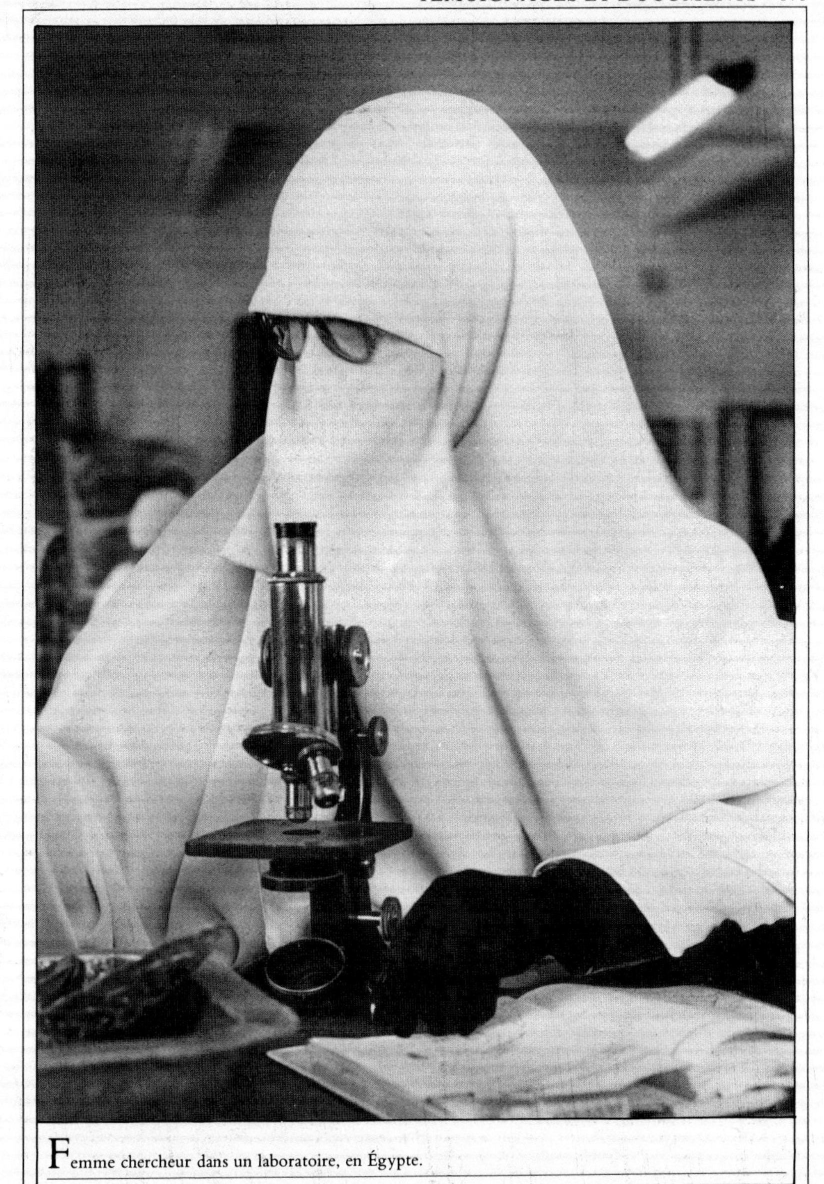

Femme chercheur dans un laboratoire, en Égypte.

Le chiisme et les schismes

L'islam est d'abord un credo. Il consiste avant tout en l'acceptation du Coran et la reconnaissance de la mission de son Prophète, ainsi que le proclame cette profession de foi qui fait entrer dans la communauté des croyants musulmans : « Il n'y a d'autre dieu que Dieu et Mahomet est l'envoyé de Dieu. » Mais au-delà de cette adhésion de foi fondamentale, l'islam n'est pas un.

Les chiites

Les chiites, « légitimistes de l'islam » selon l'expression de Louis Massignon, ont soutenu que les successeurs du Prophète devaient être choisis parmi les membres de sa famille.

Malheureusement pour eux, leur désir ne fut réalisé que relativement tard : Ali ne sera calife qu'après l'assassinat d'Othman, et son califat, loin de faire l'unanimité, sera court (656-661) et violemment contesté. Aïcha, la première, manifeste son opposition et rallie à sa bannière d'anciens compagnons d'Ali. Ce dernier est alors obligé de quitter Médine où il ne trouve aucun appui. Il gagne Koufa, au sud de l'Irak, dont les habitants embrassent sa cause. Il livre là, en décembre 656, contre les partisans d'Aïcha, la bataille dite « du chameau » (chameau monté par Aïcha) dont il sort victorieux. C'est la première guerre civile entre musulmans. Un an plus tard, Ali doit affronter un autre adversaire. Tandis que l'Arabie et l'Égypte se réfugient dans une prudente neutralité, la Syrie conteste son autorité et se range aux côtés de Moâwiyya, parent du calife Othman, assassiné, et puissant gouverneur de Syrie. Ce dernier n'hésite pas à provoquer Ali. C'est à Siffin que leurs troupes s'affrontent. De nombreux partisans d'Ali refusent l'arbitrage proposé par Moâwiyya, parmi eux les fidèles inconditionnels qui se posent vraiment en « parti » (*chîa*), estimant qu'il est le seul successeur légitime depuis la mort du Prophète. C'est à partir de ce moment qu'ils seront appelés « chiites ». Mais Ali est assassiné en 661 par un jeune kharidjite à la sortie de la mosquée de Koufa et enterré à Nejef.

Les chiites reportent alors leurs espoirs sur son fils Hassan qui sera à son

Ali et ses deux fils, image populaire en Algérie,

tour assassiné au début de 680. Son frère Husseyn, arrivé en Irak la même année, se heurte à une troupe du nouveau maître de Damas, Yazid, fils de Moâwiyya, qu'il refuse obstinément de reconnaître comme calife. Mais il est massacré près de Kerbéla avec ses compagnons et plusieurs membres de sa famille. Ce destin tragique des Alides (gens de la famille d'Ali), symbole du juste et du faible opprimé par le fort, fait du chiisme un mouvement souffrant qui exalte le martyre. Ses adeptes se présentent comme des persécutés, adoptent le drapeau noir et pleurent leurs morts à Nejef et à Kerbéla devenues leurs villes saintes. Dans l'histoire, ils resteront résolument fidèles aux « gens de la maison du Prophète ». Pour eux, seul un Alide peut être un calife légitime, avec toutefois cette particularité que les chiites ne parlent jamais de calife, mais toujours d'imâm. Ils contestent donc la légitimité des trois premiers califes et n'acceptent pas l'opinion unanime de la communauté des musulmans (*ijmâ'*) lors de la mort du Prophète. C'est que la notion chiite de communauté est centrée non sur le consensus de la majorité des croyants, mais sur le culte des imâms descendants directs d'Ali, leurs guides « infaillibles et impeccables ».

La notion d'imâmat prend, en effet, avec le chiisme, une importance et une extension spéciales. L'imâm chiite ne doit pas être confondu avec l'imâm sunnite qui, à la mosquée, dirige la prière en se plaçant devant les fidèles (le mot *amâma* en arabe veut dire « devant »). Il est imâm grâce à une émanation mystérieuse qui, depuis Adam, passe d'un imâm à l'autre. C'est cette émanation divine qui le rend impeccable et infaillible. L'infaillibilité fait qu'il ne saurait se tromper et l'impeccabilité le garantit contre toute faute. Il est dépositaire du « sens caché » des versets coraniques, sens caché qui, d'après la tradition chiite aurait été, à l'origine, confié par le prophète à Ali, et son rôle est d'interpréter le Texte sacré. Aussi peut-on dire, après Louis Massignon, que si « le Coran est l'imâm muet, l'imâm est le Coran parlant ».

La toute puissance de l'imâmat

L'importance de l'imâm est telle qu'une tradition chiite déclare : « Celui qui meurt sans connaître le véritable

imâm de son époque meurt comme un incroyant. » Chaque imâm désigne par « testament » son successeur qui doit appartenir à la descendance d'Ali. Cette procédure fut source de débats et aujourd'hui encore, les listes d'imâms légitimes restent le grand facteur de division. Le chiisme se scinde en effet en plusieurs branches : duodécimains ou imamites, ismaéliens ou septimaniens, zaydites, jafarites, etc.

selon le nombre des imâms reconnus.

Une « Église d'autorité »

Les chiites ne représentent qu'une faible partie de l'islam, environ 10 % des musulmans. Cependant, la fragmentation du chiisme en de multiples sectes rend son approche difficile. Les trois branches les plus importantes du chiisme — duodécimains, ismaéliens, zaydites — apportent sur des points particuliers des réponses très différentes. Concernant la femme, par exemple, les adversaires des chiites reprochent à quelques ismaéliens qarmates d'avoir établi la communauté de femmes ; les imamites duodécimains, eux, permettent le mariage temporaire (*mut'a*) et les zaydites se bornent à la polygamie sunnite. Le nombre de possibilités de réponses dans les domaines du droit, du culte, de la politique et des questions sociales, multiplié par le nombre de sectes chiites, même si on limite le nombre de ces sectes à soixante-douze, donne un chiffre impressionnant. Cependant il existe des points communs entre ces différentes branches. Les imâms, de par l'émanation divine, sont, pour toutes, toujours impeccables et infaillibles. De cette infaillibilité découle une conséquence importante : les fidèles doivent obéir aveuglément aux imâms puisque ceux-ci ne sauraient pécher ni se tromper. Cette acceptation docile de l'autorité est certainement la plus grande différence qui existe entre le sunnisme, qui fait appel à la raison et au jugement personnel, et le chiisme, qui proclame l'impuissance de la raison humaine. Selon la formule du savant Goldziher, « le sunnisme est une église de consensus (accord de la communauté, *ijmâ'*) et le chiisme est une église d'autorité. » L'autorité des

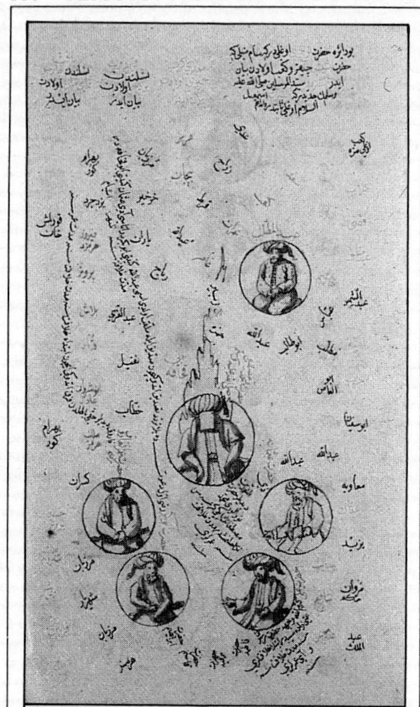

Abdal-Muttalib, Mahomet, Uthman, Abu Bakr, Omar et Ali : la généalogie du Prophète.

docteurs de la loi chiites est en effet bien supérieure à celle des docteurs de la loi sunnites. Si l'imâm sunnite est chef, l'imâm chiite est pontife. Les chiites vénèrent ayatollahs et mollahs, leurs chefs spirituels, alors que les sunnites refusent l'idée d'un intermédiaire entre Dieu et les hommes.

Les États musulmans sunnites furent généralement hostiles au développement du chiisme. Aussi réprimèrent-ils très durement les différentes sectes, accentuant ainsi leur image d'« Église souffrante ». Se sentant menacées, elles furent amenées à pratiquer la *taqiyya* ou *kitmân*, c'est-à-dire dissimuler leur croyance sous les apparences du credo orthodoxe, pour échapper à la répression. Minoritaire en islam, traité en outre comme une « minorité » dans des États où il est pourtant majoritaire (Irak, Liban, Bahreïn), le chiisme, jusqu'à une période récente, aime à se poser en victime. Ali, Hassan et Husseyn ne sont pas les seuls martyrs. Les traditions chiites accusent en effet le sunnisme d'avoir également « tué » plusieurs autres imâms. Persécutés, les chiites exaltent cette persécution, au point de se flageller jusqu'au sang. L'actuel gouvernement de l'Irak a entrepris de modérer ou d'interdire ces flagellations, mais elles continuent ailleurs et sont toujours très violentes, surtout lors de l'Achoura, afin de revivre la « passion » des imâms martyrs. Elles l'étaient également en Iran — en particulier dans les deux villes saintes de Qom et de Meshed où se trouve le sanctuaire du huitième imâm Ali al-Rida (Reza), vénéré entre tous — jusqu'à la révolution islamique ; l'ayatollah Khomeyni a condamné ces manifestations jugées négatives et recommandé de leur substituer le combat positif pour faire triompher la cause d'Allah.

Des femmes saintes jouent un rôle important dans le chiisme. Deux d'entre elles font l'objet d'un véritable culte : Fâtima, fille du prophète, épouse d'Ali, mère de Hassan et de Husseyn, dénommée « l'éplorée » ; et Fâtima l'immaculée, sœur de l'imâm Rida, morte à quatorze ans, enterrée à Qom.

Persécutés, persécuteurs

Mais si les chiites ont été dans l'histoire persécutés par le pouvoir officiel sunnite, ils n'ont eux-mêmes pas pour autant toléré ces opposants à « l'orthodoxie » que sont les mystiques (*soufis*). Les soufis en islam n'ont en effet pas besoin d'un imâm médiateur, et l'effort pour s'unir à Dieu en esprit — qu'ils estiment possible à quiconque croit avec amour — est quelque chose de tout à fait autre que l'immanence de la « parcelle divine » dans les imâms choisis. C'est ainsi que le mystique al-Hallaj fut crucifié en grande partie à cause de l'imamite Aboû Sahl al-Nawbakhti (en 1923). D'ailleurs le rigorisme des chiites n'est pas inférieur à celui des sunnites : les chiites dévots, interprétant à la lettre la parole coranique, « les polythéistes sont impurs » (Coran, 2, 28), évitent soigneusement tout contact avec un non-musulman et vont jusqu'à briser les récipients qu'il a touchés. Cette intransigeance est particulièrement manifeste chez les métoualis de Syrie qui se nomment eux-mêmes jafarites (du nom du sixième imâm Jafar).

Ainsi le chiisme réunit en Ali et ses descendants le principe de l'hérédité royale et celui de la prophétie. Dans l'histoire musulmane, la bannière noire du chiisme s'est déployée jusqu'au Maroc avec Idriss Ier, fondateur de la monarchie chérifienne. Elle flotta longtemps au Maghreb, puis en Égypte avec l'avènement de la dynastie fâtimide (969-1171). Contestataire par essence, le chiisme a été longtemps contraint de jouer le rôle d'un contre-pouvoir. Mais il lui est arrivé d'accéder au pouvoir, en Égypte avec les Fâtimides, en Iran avec les Safavides qui en ont fait la religion de l'État, au Nord-Yémen avec les zaydites. A la tête de l'État syrien depuis 1970, le président Hafez el-Assad et son clan appartiennent à la communauté alaouite (les nosaïris) qui conteste le onzième imâm et ne représente que 10 % de la population. Les conflits sanglants entre le pouvoir et la majorité sunnite agitée par les Frères musulmans rappellent étrangement les luttes sunnites-chiites dans l'histoire de l'islam. Toutefois, c'est la victoire de l'imâm Khomeyni et l'instauration de la République islamique d'Iran en 1979 qui ont vraiment mis le chiisme au premier rang de l'actualité politique et en ont fait l'islam triomphant des pauvres et des déshérités.

Ce rôle politique de certaines branches du chiisme n'empêche cependant pas la traditionnelle controverse doctrinale entre chiites et sunnites de perdurer.

C'est que chaque tradition particulière — chiite, sunnite, kharidjite — fonctionne comme un système culturel d'exclusion cherchant à affirmer sa primauté, sa priorité, son hégémonie face aux traditions concurrentes. Mais actuellement chiites khomeynistes et Frères musulmans s'efforcent de minimiser, voire de nier ces divergences, animés qu'ils sont par une commune volonté de renverser les pouvoirs en place pour y substituer le leur. Et certes la croyance des chiites à la venue, à la fin des temps, du *mahdî* qui fera enfin régner la justice et préparera le jour du jugement est une croyance commune à tous les musulmans. L'islam sunnite attribue le rôle du *mahdî* à Muhammad lui-même, parfois à Jésus, parfois à al-Khidr, le mystérieux compagnon de Moïse. Mais il n'en reste pas moins que c'est le chiisme qui s'est emparé avec le plus de force de l'idée de *mahdî*, lequel sera d'après lui représenté par Ali lui-même avec Jésus pour coadjuteur, et que cette idée a été à l'origine de bien des mouvements populaires en islam.

Paul Balta et
Anne-Marie Delcambre
in *l'État des religions*

Le retour à la loi islamique

Parce qu'ils ont tendance à considérer l'islam comme un tout monolithique, immuable dans le temps et statique dans l'espace, les Européens ont été surpris et effrayés par la victoire de l'imâm Khomeyni en Iran en 1979. Depuis, ils classent sous la rubrique « intégriste » toutes les manifestations de retour à la loi islamique sans distinguer entre la simple expression de la foi et les idéologies de combat.

Les luttes au nom de l'orthodoxie ont commencé dès la mort du Prophète, en 632 ; elles n'ont cessé depuis de jalonner l'histoire des sociétés musulmanes. Ce phénomène a certes des motivations religieuses mais il reflète aussi, selon les époques, des rivalités tribales, ethniques, dynastiques et idéologiques qui permettent aux vainqueurs d'établir de nouveaux rapports de force géopolitiques.

Les mouvements islamistes contemporains, inspirés par l'association des Frères musulmans fondée en 1928, proclament « le Coran est notre Constitution » et s'inscrivent dans une tradition déjà ancienne, mais ils sont plus directement issus du choc produit par la philosophie des Lumières et l'Europe industrielle sur la réflexion islamique. Il en résulta la *Nahda* (Renaissance) animée par des intellectuels égyptiens et syro-libanais. Celle-ci engendra deux rameaux principaux : le modernisme libéral et le fondamentalisme islamique. Chanté par Tahtawi (1801-1873), influencé par les idées de 1789 et les saint-simoniens, le modernisme met l'accent sur la patrie ; inspiré par Al-Afghani (1839-1905), le fondamentalisme préconise le retour aux sources de la foi et la restauration de la grandeur passée de la *umma* (communauté des musulmans) en tenant compte des exigences du monde moderne.

Au XXe siècle, les théories de ces penseurs s'incarnent dans des mouvements politiques : le modernisme libéral est à l'origine du nationalisme arabe illustré notamment par le Baas (parti de la Résurrection arabe) et le nassérisme, alors que les Frères musulmans se rattachent au fondamentalisme islamique. Les deux idéologies sont fondamentalement concurrentes et leur rivalité est irréductible, comme l'atteste la guerre qui oppose l'Irak baassiste et l'Iran khomeyniste depuis 1980.

Les causes de la vague islamique sont multiples. Le nationalisme moderniste qui a assuré avec succès la décolonisation et amorcé le développement économique a enregistré des échecs dans la plupart des pays musulmans depuis la fin des années soixante-dix. A l'échelle du monde arabe, il n'a pas su restaurer les Palestiniens dans leurs droits face à Israël, ni pu prévenir les conflits entre Arabes et non-Arabes (Kurdes d'Irak, Anya-Nya du Soudan, Perses d'Iran) ou entre chrétiens et musulmans (Liban). En outre, les bouleversements entraînés par le développement ont provoqué des crises d'identité dans les sociétés traditionnelles qui comptent 60 à 65 % de moins de vingt ans et sont en pleine mutation. Face à un Occident laïcisé et au monde communiste athée, le retour à la *chari'a* apparaît dès lors à beaucoup comme un ultime recours, surtout dans les pays les plus modernisés où les ruptures avec la tradition sont les plus fortes.

Dans ce contexte, les activistes islamiques cherchent à prendre leur revanche sur les tenants de l'arabisme et les modernistes (arabes et non arabes) qui les ont combattus et souvent persécutés. Ils réclament l'application de la *chari'a* et des châtiments corporels qu'elle prévoit (amputation de la main du voleur, flagellation, voire lapidation de la femme adultère, etc.), soumis, il est vrai, à des conditions très strictes et souvent difficiles à réunir (par exemple, quatre témoins ayant vu commettre l'acte d'adultère). La *chari'a* a toujours été appliquée en Arabie Saoudite. Depuis 1979, elle a été remise en honneur dans la République islamique d'Iran et dans plusieurs pays, dont le Pakistan, le Soudan et la Mauritanie.

(...) Les islamistes sont divisés en deux grandes tendances et de nombreux sous-groupes. La première, de caractère révolutionnaire et dont un des théoriciens est l'Egyptien Sayyid Qotb (pendu en 1966), appelle ouvertement à renverser, par la violence s'il le faut, les régimes accusés

d'être « corrompus, hypocrites et illégitimes », comme cela s'est passé en Iran ; la seconde vise le même but mais par une tactique non violente : elle cherche à « réislamiser » la société dans tous ses aspects de façon à « asphyxier » les gouvernements au pouvoir et à favoriser l'avènement de l'Etat islamique conforme à ses vœux. Une question se pose néanmoins à l'aube du XXIe siècle et à l'heure de la révolution informatique : comment les islamiques vont-ils concilier tradition et modernité ?

Paul Balta,
in *l'Etat des religions*

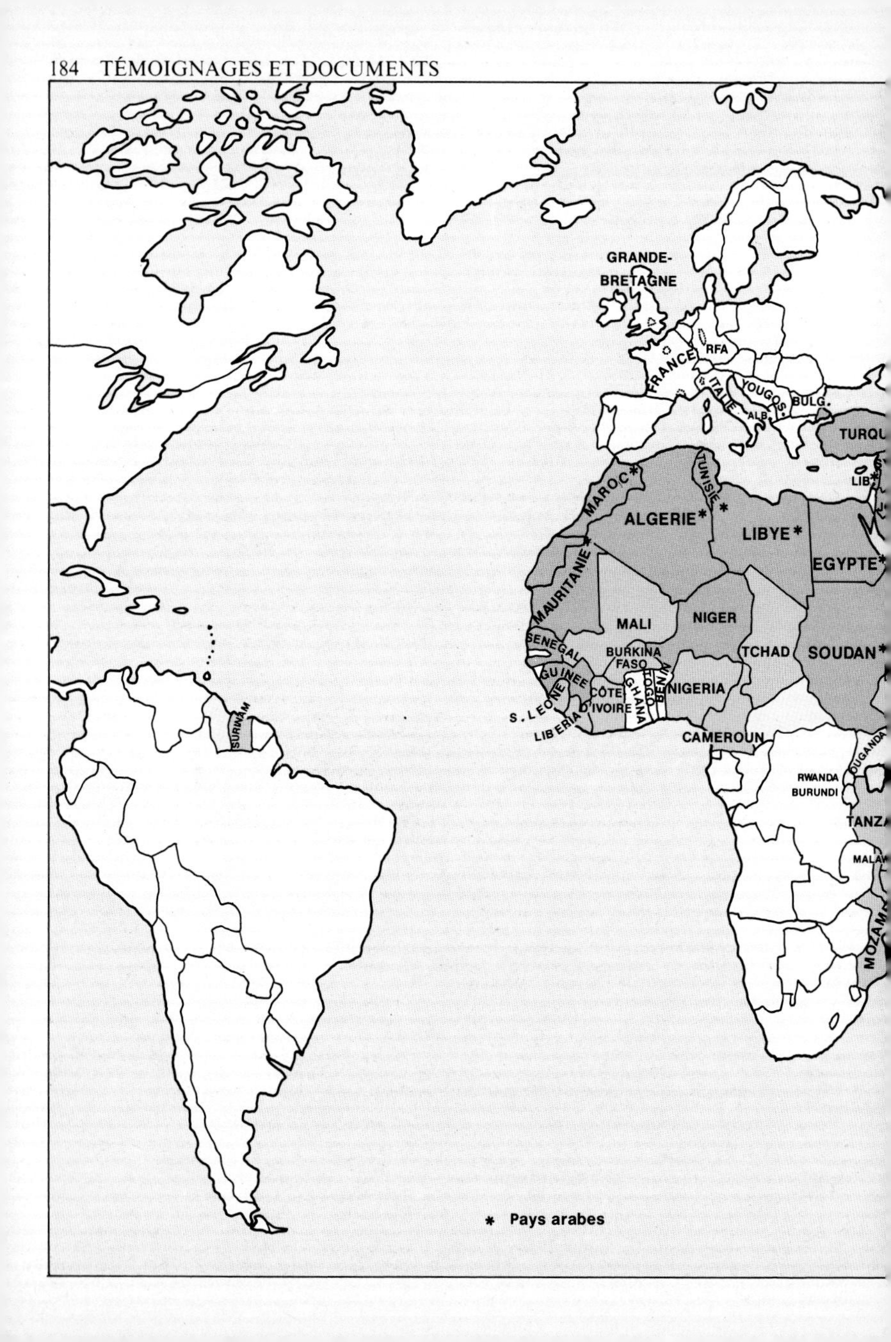
GRANDE-
BRETAGNE
FRANCE
RFA
ITALIE
YOUGOS.
BULG.
ALB.
TURQU
LIB*
MAROC*
TUNISIE*
ALGERIE*
LIBYE*
EGYPTE*
MAURITANIE*
MALI
NIGER
SENEGAL
BURKINA
FASO
TCHAD
SOUDAN*
GUINEE
CÔTE
D'IVOIRE
GHANA
TOGO
BENIN
NIGERIA
S. LEONE
LIBERIA
CAMEROUN
SURINAM
OUGANDA
RWANDA
BURUNDI
TANZA
MALAW
MOZAM
* Pays arabes

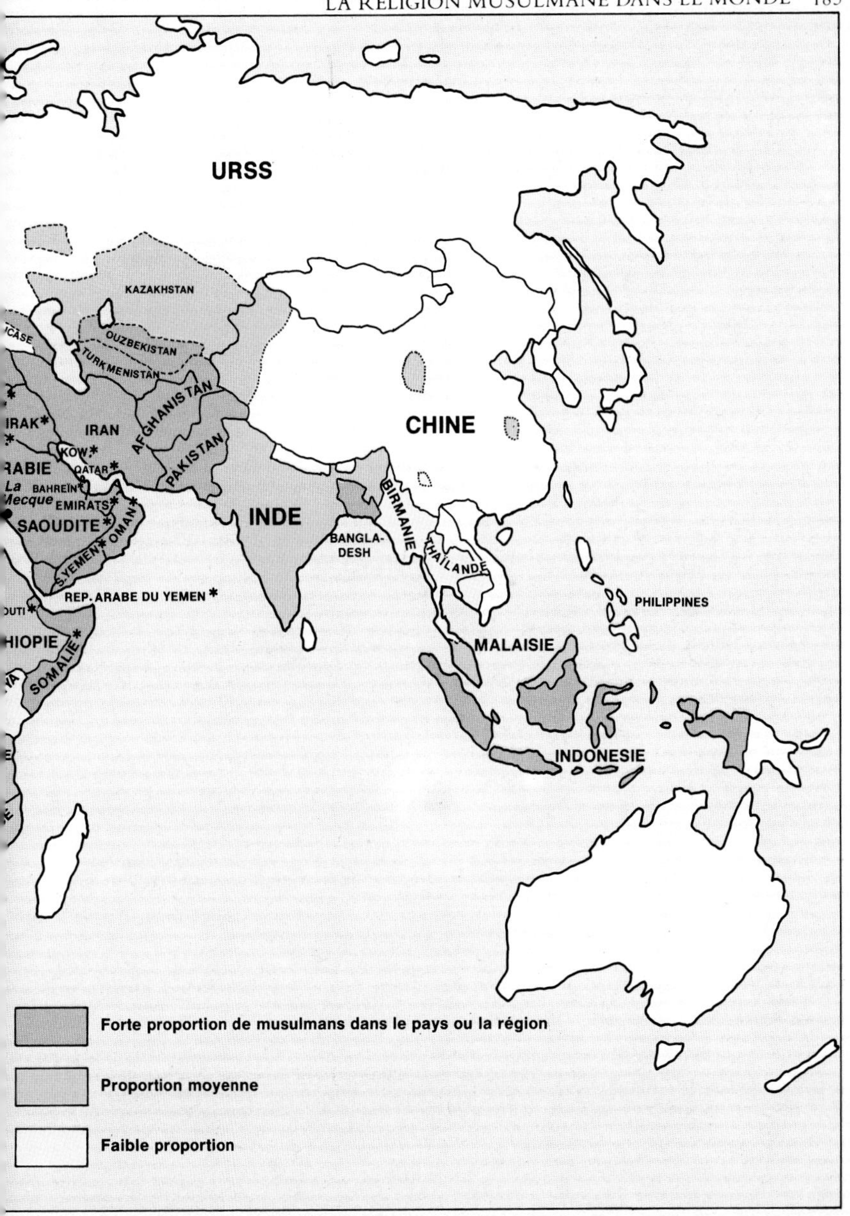
URSS
KAZAKHSTAN
OUZBEKISTAN
TURKMENISTAN
AFGHANISTAN
IRAN
IRAK*
KOW.*
QATAR*
BAHREIN*
EMIRATS*
La Mecque
SAOUDITE*
OMAN*
S.YEMEN*
REP. ARABE DU YEMEN *
SOMALIE*
PAKISTAN
INDE
BANGLA-DESH
BIRMANIE
THAÏLANDE
CHINE
PHILIPPINES
MALAISIE
INDONESIE
Forte proportion de musulmans dans le pays ou la région
Proportion moyenne
Faible proportion

GLOSSAIRE

Abtar (être) « être mutilé » pour un homme sans descendance mâle
Adāb usages musulmans
Aman garantie de protection
Anbiyā' (pl. **Nabī**) prophète
Ansār auxiliaire ; désigne les Médinois convertis ou ralliés au Prophète
'Asabiyya solidarité
Ayā (pl. **Ayāt**) verset coranique
Banū fils de ; par extension : clan, tribu
Burda manteau
Chahīd martyr, témoin de Dieu
Chī'ite partisan de Ali, cousin et gendre du Prophète
Dabira partie antérieure du casque
Dhū-l-hīdja mois sacré
Dhū-l-qāda mois sacré
Djihād guerre sainte
Djizia impôt-capitation des juifs et chrétiens à Médine
Ghanīma part du butin reçue par les Bédouins
Hadīth petit récit rapportant une action ou une parole du Prophète ; appelé aussi « tradition prophétique »
Hādjdj pèlerinage à La Mecque au sanctuaire de la Kaaba ; cinquième obligation du musulman
Hammām bain public
Hanīfs ermites arabes qui, avant l'islām, tendaient au monothéisme sans être ni chrétiens ni juifs
Haqq vérité divine
Harīra soupe traditionnelle
Hégire (ou **Hidjra**) émigration de La Mecque à Médine
Islām soumission à la volonté de Dieu
Kāfirūn infidèles ; désigne les Mecquois qui combattent l'islām
Kāhin devin
Khandaq mot d'origine syriaque : fossé, tranchée
Kharādj impôt foncier payé par les juifs et les chrétiens
Kuttāb école coranique
Liwā' bannière d'un chef d'armée
Madīra soupe enrichie de viande
Mala conseil des anciens dans les clans de l'ancienne Arabie
Ma'qad siège du minbar
Masguedā (ou **Masguid** ou **Masjif**) mosquée
Maysir divination, ondulation du sable
Mazdéens adeptes de la religion des Mages de l'Empire perse sassanide
Mihrab niche aménagée dans le mur de la mosquée indiquant la qibla
Minbar chaire dans la mosquée
Muallaqāt poèmes « suspendus »
Muezzin l'appelant à la prière
Mufākhara compétition poétique
Muhādjirūn émigrés ; désigne les premiers compagnons du Prophète établis à Médine
Muharram mois sacré
Mūninūn bénéficiaires de l'aman (pacte de confiance)
Munāfiqūn hypocrites ; désigne les Médinois qui faisaient semblant de croire
Muslim (pl. **Muslimūn**) musulman
Nūr lumière
Oumma communauté
Qasīda poème ; genre poétique
Qawnis cimier
Qibla direction de La Mecque
Qisas al-anbiyā' ouvrages consacrés à l'histoire des prophètes
Quba genre de casque
Qur'ān récitation solennelle ; « Coran » en français
Quraych requin ; emblème du clan de Mahomet
Rabi'a genre de casque
Rajab mois sacré
Rajaz mètre poétique
Rāya drapeau d'un corps d'armée
Rifāda charge honorifique mecquoise de l'approvisionnement en vivres des pèlerins
Sāhir sorcier
Salat prière ; deuxième obligation du musulman
Samar veillées
Sawīq plat traditionnel
Sawm jeûne ; quatrième obligation du musulman
Shahāda profession de foi ; première obligation du musulman
Siqāya charge honorifique mecquoise de l'approvisionnement en eau des pèlerins
Souk marché
Sourate chapitre du Coran (il en comporte 114)
Sunna ensemble des usages quotidiens de Mahomet
Tarka genre de casque
Zakāt impôt, dîme ; troisième obligation du musulman

BIBLIOGRAPHIE

Ouvrages sur l'islam

Arkoun M. *Lectures du Coran*, Maisonneuve et Larose, 1982.

Balta P. *l'Islam dans le monde*, La Découverte, 1986.

El-Bokhari *l'Authentique Tradition musulmane*, Sindbad, 1983.

Garaudy R. *l'Islam habite notre avenir*, Desclée de Brouwer, Eddif International, 1981.

Lewis B. *le Retour de l'islam*, Gallimard, 1985.

Miquel A. *l'Islam et sa civilisation*, Armand Colin, 1977.

Suchon F. *Comprendre l'Islam*, Le Seuil, 1976.

L'État des religions, ouvrage collectif sous la direction de M. Clevenot, La Découverte/Le Cerf, 1987.

Ouvrages sur Mahomet

Arnaldez R. *Mahomet ou la prédication prophétique*, Seghers, 1970.

Blachère R. *le Problème de Mahomet*, PUF, 1958.

Demombynes G. *Mahomet*, Albin Michel, 1969.

Dermenghem E. *Mahomet et la tradition islamique*, Le Seuil, 1955.

Hamidullah *le Prophète de l'islam* (2 vol), Vrin, 1959.

Lings M. *le Prophète Muhammad*, Le Seuil, 1986.

Rizzitano U. *Mahomet*, Somogy, 1973.

Rodinson M. *Mahomet*, Le Seuil, 1961.

Tabari *Mohammed, sceau des prophètes*, Sindbad, 1983 ; *les Quatre Premiers Califes*, Sindbab, 1978.

Watt M. *Mahomet*, Payot, 1980.

COUVERTURE

OUVERTURE

CHAPITRE I

CHAPITRE II

CHAPITRE III

CHAPITRE IV

CHAPITRE V

CHAPITRE VI

114/115 Mort de Mahomet, miniatures persanes.

CHAPITRE VII

116 Tombe du Prophète à Médine, miniature d'un « guide du pèlerin », XVIIIe siècle. Bibl. nat., Paris.
117 Un musulman en prière, chromo.
118/119 Le Coran d'Uthmān,.
119 Page d'un Coran, XIXe siècle.
120/121 Coran, manuscrit égyptien, XVIe siècle.
122 Frise en céramique de la mosquée de Piyale Pacha, XVIe siècle.
123h Mirhab portatif avec inscription du Coran.
123b Plaque à décor de mirhab.
124/125b École coranique.
125 Tablettes coraniques.
126/127 *Prière*, peinture de Gérome. Kunsthalle, Hambourg.
128 Mahomet monté sur la jument Buraq, au milieu des anges, miniature persane in *Mirajname*.

TÉMOIGNAGES ET DOCUMENTS

129 *Muezzin appelant les croyants à la prière de l'acha*, peinture de Étienne Dinet. Musée des beaux-arts, Marseille.
130 Détail d'un Coran du XIVe siècle. Bastan museum, Téhéran.
131 Pages du Coran : première et deuxième sourates. Collection particulière.
132 Vue de Médine dans un livre de piété turc, XIXe siècle. Bibl. nat.
134 Jésus apparaissant au minaret de la mosquée de Damas, miniature persane, XVIIe siècle.
137 Jésus emmené par les anges, miniature persane.
138 Prière dans le désert en Abū Dhabī.
140 Mosquée de Kobé au Japon.
141 Prière au Mali.
143 Grande mosquée de Damas.
144 Cadi de l'école de théologie coranique de Sanaa.
146/147 Fête du Ramadan à Oujda au Maroc.
148 Cadis religieux à la mosquée au Yémen.
150/151 Vue générale de La Mecque, gravure du XVIIIe siècle.
152 Caravane à La Mecque.
155 La Kaaba à La Mecque.
156 Mahomet, inventeur de l'Alcoran, gravure.
159 Mahomet et ses compagnons, gravure.
160 Mahomet l'imposteur, gravure.
162/163 Mahomet, gravure sur bois du XVIe siècle.
167 Mahomet, gravure du XIXe siècle.
168 Jeune fille à Téhéran.
169 Femmes en Iran.
170 Femmes en Égypte.
171 École coranique en Égypte.
173 Femmes en Iran.
175 Femme chercheur en Égypte.
176 Bataille du Chameau, miniature persane.
177 Ali et ses deux fils, image populaire d'Algérie.
178/179 Chiites iraniens.
180 Abd al-Muttalib, Mahomet, Uthman, Abū Bakr, Omar et Ali, miniature persane in *Crème de l'histoire*. Bibl. nat., Paris.
182 Imam Khomeiny.
183 Femmes à l'ambassade américaine en Iran.
184/185 Carte : la religion musulmane dans le monde.

A

B

COLLABORATEURS EXTÉRIEURS

La maquette de cet ouvrage a été réalisée par Corinne Leveuf. James Prunier a dessiné la carte de la page 64. Patrick Mérienne a exécuté la carte des pages 184/185.

REMERCIEMENTS

Nous remercions les personnes et les organismes suivants pour l'aide qu'ils nous ont apportée dans la réalisation de cet ouvrage : M. Rafif, directeur des Éditions ACR, les éditions La Découverte, la revue *Hérodote*.

CRÉDITS PHOTOGRAPHIQUES

ACR. Éditions, Courbevoie 15, 74, 75, 76/77, 78/79, 80/81, 85, 94/95, 126/127. Archiv für Kunst und Geschichte, Berlin 159, 162/163. Artephot/Fabbri, Paris 18h. Artephot/Mandel, Paris 18b, 41, 58/59, 82, 115, 131. Jean Bernard, Aix-en-Provence 129. Bibl. nat., Paris 1-12, 18h, 20/21, 22, 37, 46/47, 51, 52, 53, 56, 57, 83, 98/99, 100, 101, 106/107, 108, 109, 111, 132, 156, 160, 180. Jean-Loup Charmet, Paris 92, 120/121, 167. Dagli-Orti, Paris 19, 24/25, 38, 60, 88/89. D.R. 13, 87, 146/147. Édimages, Paris 96/97. Éditions du Seuil, Paris 177. E.T. Archives, Londres 86. Gamma/Alfred, Paris 183. Giraudon, Paris 103. Sonia Halliday, Londres 26, 91, 93. Michael Holford, Londres 23, 125h. Hubert Josse, Paris 34, 122, 123h, 123b. Chris Kutschera, Paris 138. Lauros-Giraudon, Paris 16/17, 112/113, 119. Magnum, Paris 168, 171, 173, 175. Magnum/Abbas, Paris 140, 141, 178/179. Magnum/Gauny, Paris 143, 169, 182. Magnum/Riboud, Paris 170. Roland et Sabrina Michaud, Paris 27, 68, 69, 70/71, 102, 104, 105, 130, 134, 137. Christian Monty, Paris 144, 148. Rapho/Michaud, Paris 14, 35, 39, 42, 116, 117, 125b, 128. Roger-Viollet, Paris 61, 150/151. Sipa-Press, Paris 67, 90, 118/119, 152, 176. Henri Stierlin, Genève 28, 29, 30, 31, 43, 45, 48/49, 54, 72, 114, 155. Université d'Edimbourg 32/33, 40, 62/63.

Table des matières